P9-CDT-834

EL GESTICULADOR

RODOLFO USIGLI

EL GESTICULADOR

PIEZA PARA DEMAGOGOS EN TRES ACTOS

Edited by
Rex Edward Ballinger

SOUTHWEST MISSOURI STATE COLLEGE

APPLETON-CENTURY-CROFTS
EDUCATIONAL DIVISION
New York MEREDITH CORPORATION

Copyright © 1963 by
MEREDITH PUBLISHING COMPANY

All rights reserved. This book, or parts thereof,
must not be used or reproduced in any manner
without written permission. For information ad-
dress the publisher, Appleton-Century-Crofts,
Educational Division, Meredith Corporation,
440 Park Avenue South, New York, N.Y. 10016

713-12

Library of Congress Card Number: 63-7433

PRINTED IN THE UNITED STATES OF AMERICA

390-89165-7

Preface

This textbook edition of *El Gesticulador* by Rodolfo Usigli (1905–   )
is designed to furnish English-speaking students of Spanish literature an
interesting play by the most distinguished playwright of Mexico. The
author's reputation was reconfirmed by the late George Bernard Shaw
who, after reading the English translation of Usigli's drama *Corona de
Sombra* in 1945, wrote: "If you ever need an Irish certificate of vocation
as a dramatic poet I will sign it," and he ended his note with the terse
comment, "Mexico can starve you; but it cannot deny your genius."

El Gesticulador was first performed at the Palace of Fine Arts in
Mexico City on May 17, 1947, and it was revived with success as re-
cently as 1961. It has been translated into English, French, German,
Polish, Czech, and Russian. The English version called *The Great
Gesture*, directed by David Metcalf, was produced at the Hedgerow
Theatre in Moylan, Pennsylvania in the summer of 1953. On October
26, 1953, Studio One of New York City televised the play under the
title of *Another Caesar*. A movie adaptation called *El Impostor*, with
Pedro Armendáriz in the rôle of César Rubio, and directed by Emilio
("El Indio") Fernández, appeared in Mexico in 1960.

The question of the authenticity of the hero of this satire on politics
in the provinces of Mexico was recently clarified for the reader when
Usigli wrote: "Like most characters in my plays, César Rubio is a com-
pound of human elements I have observed of psychological studies of
the character of the Mexican, but he falls under my definition of what
drama and its characters should be. A French writer once said that the
art of the novel consists of inventing with the aid of memory. I contend
that drama is the art of remembering with the help of imagination.
While a pure mythical or fiction creature, César Rubio belongs in his-

tory through psychological interpretation and, as some critic has said, 'he did not exist, but he might have existed,' since he is so representative of Mexico."

The play is suitable in subject and in vocabulary for students in the first semester of second-year Spanish. The vocabulary is practical, with many easily recognizable cognates and a minimum number of idiomatic expressions in rapidly flowing dialogue.

The Notes explain all allusions to persons and terms not covered in the Vocabulary. After consultation with the author, some expressions that otherwise would not be understood have been clarified.

The Exercises are intended to increase the student's vocabulary by cognates, word families, and idioms. To facilitate their handling, this text has been divided into twelve sections, numbered I to XII, for convenience in making assignments. If these varied exercises, corresponding to each of the sections, help to make foreign language patterns unconscious habits, encourage linguistic and literary analysis, and facilitate oral and written expression, then they will have accomplished their purpose.

The Vocabulary includes the words of the text, notes, and exercises, and is intended to be complete except for the usual omissions indicated in the explanation at the head of the section.

I should like to express my sincere thanks to the author, who has been serving as Mexico's ambassador in Oslo, Norway, not only for permission to make this edition available to students of American colleges and universities, but also for help with several difficult matters during the preparation of the text.

Rex Edward Ballinger

September 28, 1962

Contents

Noticia

beyond my personal control

Por razones ajenas a mi volición personal, esta *pieza para demagogos,* al través de su tormentosa carrera, parece haber llegado a alcanzar la consideración de un clásico. Quiero decir clásico en el sentido del ensayo eliotesco, esto es: una obra que, por cubrir íntegramente el ambiente, la geografía física y moral que la produce y llegar a sus límites, los desborda y logra una proyección universal.

Deduzco lo anterior de la acogida que, en el curso de muchos años, se ha dispensado a *El Gesticulador* en diferentes países, entre ellos los Estados Unidos, varios de América del Centro y del Sur, Francia (lecturas animadas), Austria (radiodifusión), la España de Franco y la Cuba actual. También, del hecho de que haya sido traducida a diversos idiomas, entre ellos el inglés, el francés, el alemán, el polaco, el checo y el ruso.

El título flotó desde mi extrema juventud en mi cabeza sin encontrar un cauce formal en largo tiempo. Al fin, en 1938, se conectó con una preocupación que me absorbía: el problema psicológico del mexicano, y la pieza salió, como por arte de magia, del sombrero "tejano" que el profesor César Rubio piensa que lo convertirá en general de división. O sea que, por uno de esos fenómenos peculiares de la creación artística, uno de los elementos menores de la obra determinó su salida a la luz.

Editada en 1944, la pieza tuvo que esperar hasta 1947 para ser presentada al público. Esperó, pues, nueve años, el cumplimiento de su destino escénico, y sólo el generoso entusiasmo de su intérprete, el gran actor y director Alfredo Gómez de la Vega, lo hizo posible. La opinión se dividió entonces en dos grupos igualmente militantes: el uno la consideró una basura, un panfleto indignante contra la Revolución; el otro, la piedra fundamental del teatro mexicano y una defensa apasionada de nuestra Revolución, que fué, hay que recordarlo, la primera del siglo. Ha tenido los honores del insulto, la calumnia, la diatriba, la parodia, la burla y el sabotaje sindical ordenado por un dirigente obrero, para no mencionar el señaladísimo de una reunión de Gabinete a raíz de su estreno en el teatro oficial. Retirada de éste en dos semanas, cuando — seis meses más tarde — el heroísmo de Gómez de la Vega logró su reposición, varios "críticos" confirmaron que se trataba de un engendro o mamotreto, de un *sketch* politiquero de revista sin el menor contenido humano ni político y decretaron y certificaron su muerte. Repuesta en México y en Buenos Aires, a los quince años de su estreno, gozó de la más calurosa acogida en lo general.

En 1957 fué llevada al cine mexicano y, por primera vez en mi larga y azarosa carrera, la crítica fué unánime en el sentido de que la pieza es mejor que la película, no obstante que en ésta intervinieron Emilio (*El Indio*) Fernández como director, Pedro Armendáriz como intérprete y Gabriel Figueroa como camarógrafo.

Barrett H. Clark y Mordecai Gorelik la conocieron parcialmente en 1940 y la comentaron con favor. En el mismo año, el entonces lector del Theatre Guild la rechazó sugiriendo al autor que convirtiera a César Rubio en un *would-be fascist dictator*.

En los Estados Unidos fué presentada en el célebre teatro experimental de Jasper Deeter, el Hedgerow, así como en la televisión neoyorquina. El Theatre Guild no la produjo en 1951 porque su autor se negó a hacer las modificaciones sugeridas por el productor en el sentido de hacer de obra y personaje entidades *Latin-American at large*, pero figuró entre las cuatro obras de las cuales se elegirían tres para aquella temporada. El autor se limitó a contestar que esperaría todo lo necesario con tal de que el público norteamericano pudiera ver una expresión real y distintamente mexicana.

Creo que no necesito aludir a la innegable raigambre ibseniana de esta pieza (señalada por Barrett H. Clark en una carta), que sigue esperando todavía el reconocimiento de los grandes escenarios del mundo. Si sus expectaciones son o no justificadas, sólo el tiempo, elemento fundamental del teatro, podrá decirlo.

Rodolfo Usigli

A bordo del ESPERIA
(Génova-Beirut)
30 de julio de 1962.
(Casi 25 años después.)

Piezas de Rodolfo Usigli

EL APOSTOL   Comedia elemental en tres actos, 1930. Published in "Resumen," México, D. F., January–February, 1931.

FALSO DRAMA   Comedia en un acto, 1932. Unpublished.

QUATRE CHEMINS   Pieza en cuatro escenas, en francés, 1932. Unpublished.

TRES COMEDIAS IMPOLITICAS:

NOCHE DE ESTIO   Comedia en tres actos, 1933. First performed in the Teatro Ideal, Mexico City, July 6, 1950. Unpublished.

EL PRESIDENTE Y EL IDEAL   Comedia sin unidades con un prólogo, tres actos divididos en diez y seis cuadros y un breve epílogo, 1934. Unpublished.

ESTADO DE SECRETO   Comedia en tres actos, 1935. First performed in the Teatro Degollado, Guadalajara, México, 1936. Unpublished.

ALCESTES   Pieza en tres actos, 1936. (Mexican transposition of *Le Misanthrope*.) Unpublished.

MEDIO TONO   Comedia en tres actos, 1937. Published by Editorial Dialéctica, México, D. F., 1938. First performed in the Palacio de Bellas Artes, Mexico City, November 13, 1937. Filmed with Dolores del Río, 1957.

AGUAS ESTANCADAS   Pieza en tres actos, 1939. Published in "México en la Cultura," México, D. F., April–May, 1952. First performed in the Teatro Colón, Mexico City, January 18, 1952.

LA CRITICA DE LA MUJER NO HACE MILAGROS   Comedia en un acto, 1939. Published in "Letras de México," México, D. F., February, 1940.

CORONA DE SOMBRA   Pieza antihistórica en tres actos, 1943. Published by Cuadernos Americanos, México, D. F., 1943. Second edition, 1947.

Third edition, 1959. Published as college text by Appleton-Century-Crofts, New York, 1961, Rex E. Ballinger, editor. First performed in the Teatro Arbeu, Mexico City, April 11, 1947. Revived at the Palacio de Bellas Artes, Mexico City, 1951. Broadcast in Spanish by BBC, London, September 15, 1945.

CROWN OF SHADOWS   An Antihistorical Play in Three Acts. Translation of CORONA DE SOMBRA by William F. Stirling. Published by Allan Wingate, London, 1947. Performed in English in Trenton, New Jersey, 1949 and at Texas Christian University, Fort Worth, 1953. Broadcast by the Goodyear Television Playhouse, New York City, February 17, 1952.

LA COURONNE D'OMBRE   Versión francesa del autor de CORONA DE SOMBRA, revisada. Published by A l'Enseigne du Chat qui Pêche, Brussels, 1948. Performed in French and Flemish in Belgium. Broadcast in French by Radio-diffusion Française.

EL GESTICULADOR   Pieza para demagogos, en tres actos, 1937. Published in "El Hijo Pródigo," México, D. F., 1943. Second edition appeared in "Ediciones Letras de México," México, D. F., 1944. Third edition published by Editorial Stylo, México, D. F., 1947. Published in "Teatro mexicano del siglo XX" by Antonio Magaña Esquivel, Fondo de Cultura Económica, México, D. F., 1956. Published in "Teatro mexicano contemporáneo," by Aguilar, Madrid. Translated into English, French, German, Polish, Czech, and Russian. First performed in the Palacio de Bellas Artes, Mexico City, May 17, 1947. Read in French in the Théâtre des Nations, Paris. Produced under the title of THE GREAT GESTURE at the Hedgerow Theatre, Moylan, Pennsylvania, 1953. Produced in Los Juglares, Teatro Hispanoamericano, Madrid, December 12–14, 1957. Produced at the Teatro Del Bosque and the Teatro Virginia Fábregas, Mexico City, 1961. Produced in Buenos Aires, 1961. Televised under the title of ANOTHER CAESAR by Studio One, New York City, October 26, 1953. Filmed with Pedro Armendáriz, 1960.

OTRA PRIMAVERA   Pieza en tres actos, 1938. Published by the Unión Nacional de Autores, México, D. F., 1947, in "Teatro mexicano contemporáneo." Second edition published by Editorial Helio-México, México D. F., 1956. First performed in the Teatro Virginia Fábregas, Mexico City, 1945. Winner of second prize in English translations in the UNESCO drama contest, 1959. Translated under the title of ANOTHER SPRINGTIME by Wayne Wolfe, published by Samuel French, New York, 1961.

LA FAMILIA CENA EN CASA   Comedia en tres actos, 1942. Published by the Unión Nacional de Autores, México, D. F., 1942, in "Teatro mexicano contemporáneo." First performed in the Teatro Ideal, Mexico City, December 19, 1942.

VACACIONES   Comedia en un acto, 1940. Published in "América," México, D. F., 1948. First performed in the Teatro Rex, Mexico City, March 23, 1940.

LA ULTIMA PUERTA   Farsa en dos escenas y un ballet-intermedio, 1934-35. Published in "Hoy," México, D. F., 1948.

SUEÑO DE DIA   Radiodrama en un acto, 1939. Published in "América," México, D. F., 1949. First performed in the Radiophonic Theatre of the Secretaría de Educación Pública, Mexico City, April 14, 1939.

LA MUJER NO HACE MILAGROS   Comedia en tres actos, 1939. Published in "América," México, D. F., 1949. First performed in the Teatro Ideal, Mexico City, 1939.

MIENTRAS AMEMOS   Pieza en tres actos, 1937-48. Published in "Panoramas," México, D. F., 1956.

DIOS, BATIDILLO Y LA MUJER   Farsa americana en tres escenas, 1943. Unpublished.

LOS FUGITIVOS   Pieza en tres actos, 1950. Published in "México en la Cultura," México, D. F., 1951. First performed in the Teatro Arbeu, Mexico City, July 22, 1950.

EL NIÑO Y LA NIEBLA   Pieza en tres actos, 1936. Published in "México en la Cultura," México, D. F., 1950. Second edition published by Imprenta Nuevo Mundo, México, D. F., 1951. First performed in the Teatro del Caracol, Mexico City, April 6, 1951. Translated into English by the author. Filmed with Dolores del Río, 1953.

LA FUNCION DE DESPEDIDA   Comedia en tres actos, 1949. Published in "México en la Cultura," México, D. F., 1951. Second edition published in "Colección teatro contemporáneo," México, D. F., 1952. First performed in the Teatro Ideal, Mexico City, April 10, 1953.

VACACIONES II   Comedia en un acto, 1945-52. Published in "México en la Cultura," México, D. F., 1954.

JANO ES UNA MUCHACHA   Pieza en tres actos, 1952. Published by Imprenta Nuevo Mundo, México, D. F., 1952. First performed in the Teatro Colón, Mexico City, June 20, 1952.

UN DIA DE ESTOS ...   Fantasía impolítica en tres actos, 1953. Published by Editorial Stylo, México, D. F., 1957. First performed in the Teatro Esperanza Iris, Mexico City, January 8, 1954.

LA EXPOSICION   Divertimiento en tres actos, en verso. Published by Cuadernos Americanos, México, D. F., 1960.

CORONA DE LUZ   Pieza antihistórica en tres actos, 1960. Unpublished.

LA DIADEMA   Comedieta moral en un acto y tres escenas, 1960. Unpublished.

LAS MADRES   Fresco dramático en tres actos, 1949-60. Unpublished.

CORONA DE FUEGO   Pieza antihistórica en 2410 versos, 1961. Unpublished. First performed in the Teatro Xola, Mexico City, September 15, 1961.

PIEZAS DE RODOLFO USIGLI   xiii

UN NAVIO CARGADO DE ...   Comedieta transatlántica en un acto y seis escenas, 1961. Unpublished.

EL TESTAMENTO Y EL VIUDO   Comedieta involuntaria en un acto, 1962. Unpublished.

EL GESTICULADOR

*Para Alfredo Gómez de la Vega,
que tan noble proyección escénica y
tan humana calidad supo dar a la figura
de César Rubio.*

R. U.

PERSONAJES

EL PROFESOR CÉSAR RUBIO, *50 años*
ELENA, *su esposa, 45 años*
MIGUEL, *su hijo, 22 años*
JULIA, *su hija, 20 años*
EL PROFESOR OLIVER BOLTON (*norteamericano con acento español*),
   30 años
UN DESCONOCIDO (EL GENERAL NAVARRO)
EPIGMENIO GUZMÁN, *presidente municipal*
SALINAS ⎫
GARZA ⎬ *diputados locales*
TREVIÑO ⎭
EL LICENCIADO ESTRELLA, *delegado y orador del Partido*
EMETERIO ROCHA, *viejo*
SALAS ⎫
LEÓN ⎭ *pistoleros del general Navarro*
La multitud

Época: hoy

ACTO PRIMERO

ACTO PRIMERO

Los Rubio aparecen dando los últimos toques al I arreglo de la sala y el comedor de su casa, a la que han llegado el mismo día, procedentes de la capital. El calor es intenso. Los hombres están en mangas de camisa. Todavía queda al centro de la escena un cajón que contiene libros. Los muebles son escasos y modestos: dos sillones y un sofá de tule, toscamente tallados a mano, hacen las veces de juego confortable, contrastando con algunas sillas vienesas, bastante despintadas, y una mecedora de bejuco. Dos terceras partes de la escena representan la sala, mientras la tercera parte, al fondo, está dedicada al comedor. La división entre las dos piezas consiste en una especie de galería: unos arcos con pilares descubiertos, hechos de madera; con excepción del arco central, que hace función de pasaje, los otros están cerrados hasta la altura de un metro por tablas pintadas de un azul pálido y floreado, que el tiempo ha desleído y las moscas han manchado. Demasiado pobre para tener mosaicos o cemento, la casa tiene un piso de tipichil, o cemento doméstico, cuya desigualdad presta una actitud—dijérase—inquietante a los muebles. El techo es de vigas. La sala tiene, en primer término *izquierdo, una puerta que comunica con el exterior; un poco más arriba hay una ventana amplia; al centro de la pared derecha, un arco conduce a la escalera que lleva a las recámaras. Al fondo de la escena, detrás de los arcos, es visible una ventana* 5 *situada al centro; una puerta, al fondo derecho, lleva a la pequeña cocina, en la que se supone que hay una salida hacia el solar característico del Norte. La casa es toda, visiblemente, una construcción de madera, sólida, pero no en muy buen* 10 *estado. El aislamiento de su situación no permitió la tradicional fábrica de sillar; la modestia de los dueños, ni siquiera la fábrica de adobe, frecuente en las regiones menos populosas del Norte.* ELENA RUBIO, *mujer bajita, robusta, de unos cuarenta y* 15 *cinco años, con un trapo amarrado a la cabeza a guisa de cofia, sacude las sillas, cerca de la ventana derecha, y las acomoda conforme termina;* JULIA, *muchacha alta, de silueta agradable aunque su rostro carece de atractivo, también con la cabeza* 20 *cubierta, termina de arreglar el comedor. Al levantarse el telón puede vérsela de pie sobre una silla, colgando una lámina en la pared. La línea de su cuerpo se destaca con bastante vigor. No es propiamente la tradicional virgen provinciana, sino* 25 *una mezcla curiosa de pudor y provocación, de represión y de fuego.* CÉSAR RUBIO *es moreno; su figura recuerda vagamente la de Emiliano Zapata* ' *y, en general, la de los hombres y las modas de 1910, aunque vista impersonalmente y sin moda.* 30 *Su hijo* MIGUEL *parece más joven de lo que es; delgado y casi pequeño, es más bien un muchacho mal alimentado que fino. Está sentado sobre el cajón de los libros, enjugándose la frente.*

CÉSAP: ¿Estás cansado, Miguel? 35
MIGUEL: El calor es insoportable.

10 I

CÉSAR: Es el calor del Norte que, en realidad, me hacía falta en México. Verás qué bien se vive aquí.

JULIA (bajando): Lo dudo.

CÉSAR: Sí, a ti no te ha gustado venir al pueblo.

5 JULIA: A nadie le gusta ir a un desierto cuando tiene veinte años.

CÉSAR: Hace veinticinco años era peor, y yo nací aquí y viví aquí. Ahora tenemos la carretera a un paso.

JULIA: Sí ... podré ver los automóviles como las vacas miran pasar los trenes de ferrocarril. Será una diversión.

10 CÉSAR (mirándola fijamente): No me gusta que resientas tanto este viaje, que era necesario.

(ELENA se acerca.)

JULIA: Pero ¿por qué era necesario? Te lo puedo decir, papá. Porque tú no conseguiste hacer dinero en México.

15 MIGUEL: Piensas demasiado en el dinero.

JULIA: A cambio de lo poco que el dinero piensa en mí. Es como el amor, cuando nada más uno de los dos quiere.

CÉSAR: ¿Qué sabes tú del amor?

JULIA: Demasiado. Sé que no me quieren. Pero en este desierto
20 hasta podré parecer bonita.

ELENA (acercándose a ella): No es la belleza lo único que hace acercarse a los hombres, Julia.

JULIA: No ... pero es lo único que no los hace alejarse.

ELENA: De cualquier modo, no vamos a estar aquí toda la vida.

25 JULIA: Claro que no, mamá. Vamos a estar toda la muerte.

(CÉSAR la mira pensativamente.)

ELENA: De nada te servía quedarte en México. Alejándote, en cambio, puedes conseguir que ese muchacho piense en ti.

JULIA: Sí ... con alivio, como en un dolor de muelas ya pasado. Ya
30 no le doleré ... y la extracción no le dolió tampoco.

MIGUEL (levantándose de la caja): Si decidimos quejarnos, creo que yo tengo mayores motivos que tú.

CÉSAR: ¿También tú has perdido algo por seguir a tu padre?

MIGUEL (volviéndose a otro lado y encogiéndose de hombros):
35 Nada ... una carrera.

CÉSAR: ¿No cuentas los años que perdiste en la universidad?

MIGUEL (mirándolo): Son menos que los que tú has perdido en ella.

1   11

ELENA (*con reproche*): Miguel.

CÉSAR: Déjalo que hable. Yo perdí todos esos años por mantener viva a mi familia ... y por darte a ti una carrera ... también un poco porque creía en la universidad como un ideal. No te pido que lo comprendas, hijo mío, porque no podrías. Para ti la universidad no fué nunca más que una huelga permanente.

MIGUEL: Y para ti una esclavitud eterna. Fueron los profesores como tú los que nos hicieron desear un cambio.

CÉSAR: Claro, queríamos enseñar.

ELENA: Nada te dió a ti la universidad, César, más que un sueldo que nunca nos ha alcanzado para vivir.

CÉSAR: Todos se quejan, hasta tú. Tú misma me crees un fracasado, ¿verdad?

ELENA: No digas eso.

CÉSAR: Mira las caras de tus hijos: ellos están enteramente de acuerdo con mi fracaso. Me consideran como a un muerto. Y, sin embargo, no hay un solo hombre en México que sepa todo lo que yo sé de la revolución. Ahora se convencerán en la escuela, cuando mis sucesores demuestren su ignorancia.

MIGUEL: ¿Y de qué te ha servido saberlo? Hubiera sido mejor que supieras menos de la revolución, como los generales, y fueras general. Así no hubiéramos tenido que venir aquí.

JULIA: Así tendríamos dinero.

ELENA: Miguel, hay que llevar arriba este cajón de libros.

MIGUEL: Ahora ya hemos empezado a hablar, mamá, a decir la verdad. No trates de impedirlo. Más vale acabar de una vez. Ahora es la verdad la que nos grita a nosotros ... y no podemos evitarlo.

CÉSAR: Sí, más vale que hablemos claro. No quiero ver a mi alrededor esas caras silenciosas que tenían en el tren, reprochándome el no ser general, el no ser bandido inclusive, a cambio de que tuviéramos dinero. No quiero que volvamos a estar como en los últimos días de México, rodeados de pausas. Déjalos que estallen y lo digan todo, porque también yo tengo mucho que decir, y lo diré.

ELENA: Tú no tienes nada que decir ni que explicar a tus hijos,

12

César. Ni debes tomar así lo que ellos digan: nunca han
tenido nada ... nunca han podido hacer nada.

Miguel: Sí, pero ¿por qué? Porque nunca lo vimos a él poder
nada, y porque él nunca tuvo nada. Cada quien sigue el
5 ejemplo que tiene.

Julia: ¿Por culpa nuestra hemos tenido que venir a este desierto?
Te pregunto qué habíamos hecho nosotros, mamá.

César: Sí, ustedes quieren la capital; tienen miedo de vivir y de
trabajar en un pueblo. No es culpa de ustedes, sino más
10 por haber ido allá también, y es culpa de todos los que
antes que yo han creído que es allá donde se triunfa. Hasta
los revolucionarios aseguran que las revoluciones sólo
pueden ganarse en México. Por eso vamos todos allá. Pero
ahora yo he visto que no es cierto, y por eso he vuelto a mi
15 pueblo.

Miguel: No ... lo que has visto es que *tú* no ganaste nada; pero
hay otros que han tenido éxito.

César: ¿Lo tuviste tú?

Miguel: No me dejaste tiempo.

20 César: ¿De qué? ¿De convertirte en un líder estudiantil? Tonto,
no es eso lo que se necesita para triunfar.

Miguel: Es cierto, tú has tenido más tiempo que yo.

Julia: Aquí, ni con un siglo de vida haremos nada.
        (*Se sienta con violencia.*)

25 César: ¿Qué has perdido tú por venir conmigo, Julia?

Julia: La vista del hombre a quien quiero.

Elena: Eso era precisamente lo que te tenía enferma, hija.

César (*en el centro, machacando un poco las palabras*): Un
profesor de universidad, con cuatro pesos diarios, que nunca
30 pagaban a tiempo, en una universidad en descomposición,
en la que nadie enseñaba ni nadie aprendía ya ... una universidad sin clases. Un hijo que pasó seis años en huelgas,
quemando cohetes y gritando, sin estudiar nunca. Una
hija ... (*Se detiene.*)

35 Julia: Una hija fea.
        (Elena *se sienta cerca de ella y la acaricia en la*
        cabeza. Julia *se aparta de mal modo.*)

César: Una hija enamorada de un fifí de bailes que no la quiere.

Esto era México para nosotros. Y porque se me ocurre que podemos salvarnos todos volviendo al pueblo donde nací, donde tenemos por lo menos una casa que es nuestra, parece que he cometido un crimen. Claramente les expliqué por qué quería venir aquí. 5

MIGUEL: Eso es lo peor. Si hubiéramos tenido que ir a un lugar fértil, a un campo; pero todavía venimos aquí por una ilusión tuya, por una cosa inconfesable ...

CÉSAR: ¿Inconfesable? No conoces el precio de las palabras. Va a haber elecciones en el Estado, y yo podría encontrar un 10 acomodo. Conozco a todos los políticos que juegan ... podré convencerlos de que funden una universidad, y quizás seré rector de ella.

ELENA: Ninguno de ellos te conoce, César.

CÉSAR: Alguno hay que fué condiscípulo mío. 15

ELENA: ¿Quién ha hecho nada por ti entre ellos?

CÉSAR: No en balde he enseñado la historia de la revolución tantos años; no en balde he acumulado datos y documentos. Sé tantas cosas sobre todos ellos, que tendrán que ayudarme.

MIGUEL (*de espaldas al público*): Eso es lo inconfesable. 20

CÉSAR (*dándole una bofetada*): ¿Qué puedes reprocharme tú a mí? ¿Qué derecho tienes de juzgarme?

MIGUEL (*se vuelve lentamente hacia el frente conforme habla*): El de la verdad. Quiero vivir la verdad porque estoy harto de apariencias. Siempre ha sido lo mismo. De chico, cuando 25 no tenía zapatos, no podía salir a la calle, porque mi padre era profesor de la universidad y qué irían a pensar los vecinos. Cuando llegaba tu santo, mamá, y venían invitados, las sillas y los cubiertos eran prestados todos, porque había que proteger la buena reputación de la familia de un 30 profesor universitario ... y lo que se bebía y se comía era fiado, pero ¡qué pensarían las gentes si no hubiera habido de beber y de comer!

ELENA: Miguel, no tienes derecho de reprocharnos el ser pobres. Tu padre ha trabajado siempre para ti. 35

MIGUEL: ¡Pero si no es el ser pobres lo que les reprocho! ¡Si yo quería salir descalzo a jugar con los demás chicos! Es la apariencia, la mentira lo que me hace sentirme así. ¡Y,

14   I

además, era cómico! ¡Era cómico porque no engañaban a nadie ... ni a los invitados que iban a sentarse en sus propias sillas, a comer con sus propios cubiertos ... ni al tendero que nos fiaba las mercancías! Todo el mundo lo sabía, y si no se reían de ustedes era porque ellos vivían igual y hacían lo mismo. ¡Pero era cómico! (*Se echa a llorar y se deja caer en uno de los sillones.*)

JULIA (*levantándose*): No sé qué puedes decir tú cuando yo pasé por cosas peores ... siempre mal vestida ... y siendo, además, como soy ... fea.

ELENA (*levantándose y yendo a ella*): Hija, ¡ no es cierto! (*Le toma la cabeza y la besa. Esta vez* JULIA *se deja hacer.*)

CÉSAR (*después de una pausa*): Hay que subir esos libros, Miguel. (MIGUEL *se levanta, secándose los ojos, con gesto casi infantil, y entre los dos hombres levantan la caja.*) Déjanos pasar, Elena. (ELENA *se hace a un lado dejando libre el paso hacia la escalera. En ese momento llaman a la puerta.*) ¡Han tocado! (*Pequeño silencio durante el cual todos miran a la puerta. Nueva llamada.* CÉSAR *deja caer la caja en el suelo y contesta, mientras* MIGUEL *se aparta de la caja.*) ¿Quién es?

LA VOZ DE BOLTON (*con levísimo acento norteamericano*): ¿Hay un teléfono aquí? He tenido un accidente.

(CÉSAR *se dirige a la puerta y abre. Aparece en el marco el profesor* OLIVER BOLTON, *de la Universidad de Harvard. Tiene treinta años y una agradable apariencia deportiva. Es de un rubio muy quemado por largos baños de sol, y viste un ligero traje de verano.*) **II**

CÉSAR: Pase usted.

BOLTON (*entrando*): Siento mucho molestar, pero hago mi primer viaje a su hermoso país en automóvil, y mi coche ... descompuesto en la carretera. ¿Puedo telefonear?

CÉSAR: No tenemos teléfono aquí. Lo siento.

BOLTON: Oh, yo puedo reparar el coche; (*Sonríe.*) pero está todo oscuro ahora. Tendría que esperar hasta mañana. ¿Hay un hotel cerca?

CÉSAR: No. No encontrará usted nada en varios kilómetros.

I 15

BOLTON (*sonriendo con vacilación*): Entonces ... odio imponerme a la gente ... pero quizá podría pasar la noche aquí ... si ustedes quieren, como en un hotel. Me permitirán pagar.

CÉSAR (*después de una pequeña pausa y un cambio de miradas con* ELENA): No será necesario pero estamos recién insta- 5 lados y no tenemos muebles suficientes.

MIGUEL: Puede dormir en mi cama. Yo dormiré aquí. (*Señala el sofá de tule.*)

BOLTON (*sonriendo*): Oh, no ... mucha molestia. Yo dormiré aquí.

CÉSAR: No será ninguna molestia. Mi hijo le cederá su cama; nos 10 arreglaremos.

BOLTON: ¿Es seguro que no es molestia?

MIGUEL: Seguro.

BOLTON: Gracias. Entonces traeré mi equipaje del coche.

CÉSAR: Acompáñalo, Miguel.   15

BOLTON: Gracias. Mi nombre es Oliver Bolton. (*Hace un saludo y sale;* MIGUEL *lo sigue.*)

ELENA: No debiste recibirlo en esa forma. No sabemos quién es.

CÉSAR: No; pero pensaría muy mal de México si la primera casa adonde llega le cerrara sus puertas.   20

ELENA: Eso lo enseñaría a no llegar a casas pobres. Yo no podría hacer esto, dormir en casa ajena.

CÉSAR: Parece decente, además.

ELENA: Con los americanos nunca sabe uno: todos visten bien, todos visten igual, todos tienen autos. Para mí son como 25 chinos; todos iguales. Voy a poner sábanas en la cama de Miguel. (*Sale por la puerta izquierda.*)

    (JULIA, *que se había sentado junto a la ventana, se levanta y se dirige hacia la misma puerta.* CÉSAR, *sin mirarla de frente, la llama a media voz.*)   30

CÉSAR: Julia ...

JULIA (*en la puerta, sin volverse*): Mande.

CÉSAR: Ven acá. (*Ella se acerca; él se sienta en el sofá.*) Siéntate, quiero hablar contigo.

JULIA (*automática*): No nos ha quedado mucho que decir, ¿ver- 35 dad?

CÉSAR: Julia, ¿no te arrepientes un poco de haber tratado con tanta dureza a tu padre?

16   I

JULIA: Pregúntale a Miguel si él se arrepiente. Todo esto tenía que suceder algún día. Hoy es igual que mañana. Me arrepiento de haber nacido.

CÉSAR: ¡Hija! Sólo la juventud puede hablar así. Exageras porque te humillaría que tu tragedia no fuera grandiosa. Todo porque un muchacho sin cabeza no te ha querido. (JULIA *se vuelve a otro lado*.) Y bien, déjame decirte una cosa: no se fijó en ti, no te vió bien.

JULIA: No hablemos más de eso. (*Con amargura*.) No hizo más que verme. Si no me hubiera visto...

CÉSAR: Quiero que sepas que al venir aquí lo he hecho también pensando en ti, en ustedes...

JULIA: Gracias...

CÉSAR: Si crees que no comprendo que he fracasado en mi vida... si crees que me parece justo que ustedes paguen por mis fracasos, te equivocas. Yo también lo quiero todo para ti. Si crees que no saldremos de este lugar a algo mejor, te equivocas. Estoy dispuesto a todo para asegurar tu porvenir.

JULIA (*levantándose*): Gracias, papá. ¿Es eso todo...?

CÉSAR (*deteniéndola por un brazo*): Si crees que eres fea, te equivocas, Julia. Quizá no debería yo decirte esto... pero (*bajando mucho la voz*) tienes un cuerpo admirable... eso es lo que importa. (*Se limpia la garganta*.)

JULIA (*desasiéndose, lo mira*): ¿Por qué me dices eso?

CÉSAR (*mirándola a los ojos, lentamente*): Porque no te conoces, porque no tienes conciencia de ti. Porque soy el único hombre que hay aquí para decírtelo. Miguel no sabe... y aquel otro imbécil no se fijó en ti. (*Mira a otro lado*.) Tienes lo que los hombres buscamos, y eres inteligente.

JULIA (*con voz blanca*): Pareces otro de repente, papá.

CÉSAR: A veces soy un hombre todavía. Serás feliz, Julia, te lo juro.

JULIA: Me avergüenza guardarte rencor, padre, por haberme hecho nacer... pero lo que siento es algo contra mí, no contra ti ...¡Siento tanto no poder felicitarte por tener una hija bonita! A veces me asfixio, me siento como si no fuera yo más que una gran cara fea... (CÉSAR *la acaricia ligeramente*.) monstruosa, sin cuerpo. Pero no te odio, créelo, ¡no te odio! (*Lo besa*.)

I   17

CÉSAR: He pensado muchas veces, viéndote crecer, que pudiste ser la hija de un hombre ilustre, único en su tipo; pero ya ves: todo lo que sé no me ha servido de nada hasta ahora. Mi conocimiento me parece a menudo una podredumbre interior, porque no he podido crear nada con lo que sé ... 5 ni siquiera un libro.

JULIA: Nos parecemos mucho, ¿verdad?

CÉSAR: Quizá eso es lo que nos aleja, Julia.

JULIA (*con un arrebato casi infantil, el primero*): ¡Pero no nos alejará ya! ¡Te lo prometo! De cualquier modo, no quiero 10 quedarme aquí mucho tiempo. Prométeme ...

CÉSAR: Te lo prometo ... pero a tu vez prométeme tener paciencia, Julia.

JULIA: Sí. (*Con una sonrisa amarga.*) Pero ... ¿sabes por qué me siento tan mal aquí, como si llevara un siglo en esta casa? 15 Porque todo esto es para mí como un espejo enorme en el que me estoy viendo siempre.

CÉSAR: Tienes que olvidar esas ideas. Yo haré que las olvides.
    (*Se oye a* ELENA *bajar la escalera.*)

LA VOZ DE ELENA: César, ¿crees que ya habrá cenado este gringo? 20 (*Entra.*) No tenemos mucho, sabes.

CÉSAR: Habrá que ofrecerle. Qué diría si no ... Mañana iremos al pueblo por provisiones, y yo averiguaré dónde está Navarro para ir a verlo y arreglar trabajo de una vez.

ELENA: ¿Navarro? 25

CÉSAR: El general, según él. Es un bandido, pero es el posible candidato ... el que tiene más probabilidades. No se acordará de mí; tendré que hacerle recordar ... Esto es como volver a nacer, Elena, empezar de nuevo; pero en México empieza uno de nuevo todos los días. 30

ELENA (*moviendo la cabeza*): Miguel tiene razón; si esto fuera campo, sería mucho mejor para todos. No tendrías que meterte en política.

CÉSAR: En México todo es política ... la política es el clima, el aire.

ELENA: No sé. Creo que a pesar de todo habría preferido que 35 siguieras en la universidad ...

CÉSAR: ¿Olvidas que en la última crisis me echaron?

18   I

ELENA: Quizá si hubieras esperado un poco, hablado con el nuevo rector, te habrían devuelto tu puesto.

CÉSAR: ¿Cuatro pesos? La pobreza segura.

ELENA: Segura, tú lo has dicho.

5 JULIA (*con un estremecimiento*): No ... la pobreza no. Yo creo que es mejor, después de todo, que hayamos venido aquí. Es un cambio.

ELENA: Hace un momento te quejabas.

JULIA: Pero es un cambio.

10 CÉSAR: No sé por qué, pero tengo la seguridad de que algo va a ocurrir aquí.

ELENA: Voy a preparar la cena. Ojalá no te equivoques, César.

CÉSAR: ¿Por qué no dices "de nuevo"?

ELENA (*tomándole la mano y oprimiéndosela con ternura*): Siem-
15 pre tienes esa idea. Es absurdo. Si fuera yo más joven, acabarías por influenciarme. (*Se desprende.*) Ayúdame, Julia.

(*Las mujeres pasan al comedor y de allí a la cocina. CÉSAR toma un libro del cajón, lo hojea, se encoge de*
20 *hombros y vuelve a arrojarlo en él.*)

CÉSAR: No quedó lugar donde poner mis libros, ¿verdad? (*Espera un momento la respuesta, que no viene.*) ¿No quedó lugar ... ? (*Se dirige al hablar hacia el comedor, cuando entran MIGUEL y BOLTON llevando una maleta cada uno.*)

25 BOLTON: Aquí estamos.

CÉSAR: ¿Ha cenado usted, señor ... ?

BOLTON: Bolton, Oliver Bolton. (*Deja la maleta y mientras habla saca de su cartera una tarjeta que entrega a CÉSAR.*) Tomé algo esta tarde en el camino, gracias. Odio molestar.

30 CÉSAR (*mirando la tarjeta*): Un bocado no le caerá mal. Veo que es usted profesor de la Universidad de Harvard.

BOLTON: Oh, sí. De historia latinoamericana. (*Recogiendo su maleta.*) Voy a asearme un poco. ¿Usted permite?

MIGUEL: Arriba hay un lavabo. Me adelanto para enseñarle el
35 camino. (*Lo hace.*)

BOLTON: Gracias.

(*Los dos salen. Se les oye subir la escalera. CÉSAR*

I 19

mira y remira la tarjeta y teniéndola entre los dedos de la mano derecha golpea con ella su mano izquierda. Una sonrisa bastante peculiar se detiene por un momento en sus labios. Se guarda la tarjeta y empuja el cajón de libros hasta el comedor, en uno de cuyos rin- 5 *cones lo coloca. Mientras lo hace,* ELENA *pasa de la cocina al comedor buscando unos platos.*)

ELENA: Me pareció que me hablabas hace un momento.

CÉSAR: No.

ELENA: ¿Has puesto los libros aquí? Estorbarán, y no quedó lugar 10 para el librero, sabes.

CÉSAR (*después de una pequeña pausa*): Eso era lo que quería preguntarte.

ELENA: Creí que te enojarías.

CÉSAR: Es curioso, Elena. 15

ELENA: ¿Qué?

CÉSAR: Este americano es profesor de historia, también ... profesor de historia latinoamericana en su país.

ELENA (*sonriendo*): Entonces será pobre.

CÉSAR: ¿Otro reproche? 20

ELENA: ¡No! Ya sabes que yo no tomo en serio esas cosas que tanto atormentan a Julia y a ti. Se es pobre como se es morena ... y yo nunca he tenido la idea de teñirme el pelo.

CÉSAR: Es que crees que no haré dinero nunca.

ELENA: No lo creo, (*con ternura*) lo sé, señor Rubio, y estoy tran- 25 quila. Por eso me da recelo que te metas en cosas de política.

CÉSAR: No tendría yo que hacerlo si fuera profesor universitario en los Estados Unidos, si ganara lo que este gringo, que es bastante joven. (ELENA *se dirige sin contestar a la puerta* 30 *de la cocina.*) Elena ...

ELENA: Tengo que ir a la cocina. ¿Qué quieres?

CÉSAR: Estaba yo pensando que quizás ... Ya sabes cuánto se interesan los americanos por las cosas de México ...

ELENA: Si no se interesaran tanto sería mucho mejor. 35

CÉSAR: Escucha. Estaba yo pensando que quizás este hombre pueda conseguirme algo allá ... una clase de historia de la revolución mexicana. Sería magnífico.

I

ELENA: Desde luego: podrías aprender inglés. Despierta, César y déjame preparar la cena.

CÉSAR: ¿Por qué me lo echas todo abajo siempre?

ELENA: Para que no te caigas tú. Me da miedo que te hagas
5 ilusiones con esa velocidad ... Siempre has estado enfermo de eso, y siempre he hecho lo que he podido por curarte.

CÉSAR: ¿Pero no te das cuenta? No hay un hombre en el mundo que conozca mi materia como yo. Ellos lo apreciarían.

(ELENA *lo mira sonriendo y sale.* CÉSAR *vuelve a sacar* **III**
10 *la tarjeta de Bolton, la mira y le da vueltas entre los dedos mientras pasa a la sala.* MIGUEL *regresa al mismo tiempo.*)

MIGUEL (*seco*): ¿Quieres que subamos los libros?

CÉSAR (*abstraído en su sueño*): ¿Qué?

15 MIGUEL: Los libros. ¿Quieres que los subamos?

CÉSAR: No ... después ... los he arrinconado en el comedor. (*Se sienta y saca del bolsillo un paquete de cigarros de hoja y lía uno metódicamente.*)

MIGUEL (*acercándose un paso*): Papá.

20 CÉSAR (*encendiendo su cigarro*): ¿Qué hay?

MIGUEL: He reflexionado mientras acompañaba al americano y él hablaba.

CÉSAR (*distraído*): Habla notablemente bien el español, ¿te has fijado que pronuncia la *ce*?

25 MIGUEL: Probablemente no tenía yo derecho a decirte todas las cosas que te dije, y he decidido irme.

CÉSAR: ¿Adónde?

MIGUEL: Quiero trabajar en alguna parte.

CÉSAR: ¿Te vas por arrepentimiento? (MIGUEL *no contesta.*) ¿Es
30 por eso?

MIGUEL: Creo que es lo mejor. Ves ... te he perdido el respeto.

CÉSAR: Creí que no te habías dado cuenta.

MIGUEL: Pero yo no puedo imponerte mis puntos de vista ... no puedo dirigir tu conducta.

35 CÉSAR: Ah.

MIGUEL: Reconozco tu libertad, déjame libre tú también. Quiero dedicar mi tiempo a mi vida.

CÉSAR: ¿Cómo la dirigirás?

I   21

MIGUEL (*obstinado*): Después de lo que nos hemos dicho ... y me has pegado ...

CÉSAR (*mirando su mano*): Hace mucho que no lo hacía. Pero no es ésa tu única razón. Cuando nos vimos frente a frente durante aquella huelga ... tú entre los estudiantes, yo con 5 el orden ... me dijiste cosas peores ... un discurso. Y sin embargo, volviste a cenar a casa ... muy tarde yo te esperé. Me pediste perdón. No pensaste en irte ...

MIGUEL: Era otra situación. No quiero seguir viviendo en la mentira. 10

CÉSAR: En esta mentira; pero hay otras. ¿Ya escogiste la tuya? Antes era la indisciplina, la huelga.

MIGUEL: Eso era por lo menos un impulso hacia la verdad.

CÉSAR: Hacia lo que tú creías que era la verdad. Pero ¿qué frutos te ha dado hasta ahora? 15

MIGUEL: No sé ... no me importa. No quiero vivir en tu mentira ya, en la que vas a cometer, sino en la mía. (*Violentamente, en un arrebato infantil de los característicos en él.*) Papá, si tú quisieras prometerme que no harás nada ... (*Le echa un brazo al cuello.*) 20

CÉSAR: Nada ... ¿de qué?

MIGUEL: De lo que quieres hacer aquí con los políticos. Lo dijiste una vez en México y esta noche de nuevo.

CÉSAR: No sé de qué hablas.

MIGUEL: Sí lo sabes. Quieres usar lo que sabes de ellos para con- 25 seguir un buen empleo. Eso es ... (*Baja la voz.*) *chantage.*

CÉSAR (*auténticamente avergonzado por un momento*): No hables así.

MIGUEL (*vehemente, apretando el brazo de su padre*): Entonces dime que no harás nada de eso. ¡Dímelo! Yo te prometo 30 trabajar, ayudarte en todo, cambiar ...

CÉSAR (*tomándole la barba como a un niño*): Está bien, hijo.

MIGUEL (*cálido*): ¿Me lo juras?

CÉSAR: Te prometo no hacer nada que no sea honrado.

MIGUEL: Gracias, papá. (*Se aleja como para irse. Se vuelve de* 35 *pronto y corre a él.*) Perdóname todo lo que dije antes. (*Se oye bajar a* BOLTON.)

CÉSAR (*dándole la mano*): Ve a asearte un poco para cenar.

BOLTON (*entrando*): ¿No interrumpo?

CÉSAR: Pase usted, siéntese. (BOLTON *lo hace*.) ¿Un cigarro?

BOLTON: ¡Oh, de hoja! (*Ríe*.) No sé arreglarlos, gracias. (*Saca los suyos*.) Mucho calor, ¿eh? ¿Fuma usted? (*Ofreciendo la caja a* MIGUEL.)

5 MIGUEL: No, gracias. Con permiso. (*Sale por la izquierda*.)

CÉSAR (*dándole fuego*): ¿De modo que usted enseña historia latinoamericana, profesor?

BOLTON: Es mi pasión; pero me interesa especialmente la historia

10 de México. Un país increíble, lleno de maravillas y de monstruos. Si usted supiera qué poco se conocen las cosas de México en mi tierra (*pronuncia Mehico*), sobre todo en el Este. Por esto he venido aquí.

CÉSAR: ¿A investigar?

15 BOLTON: (*satisfecho de explicarse y de entrar en su materia*): Hay dos casos extraordinarios, muy interesantes para mí, en la historia contemporánea de México. Entonces, mi universidad me manda en busca de datos, y, además, tengo una beca para hacer un libro.

20 CÉSAR: ¿Puedo saber a qué casos se refiere usted?

BOLTON: ¿Por qué no? (*Ríe*.) Pero si usted sabe algo, se lo quitaré. Un caso es el de Ambrose Bierce,[1] este americano que viene a México, que se une a Pancho Villa[2] y lo sigue un tiempo. Para mí, Bierce descubrió algo irregular, algo

25 malo en Villa, y por eso Villa lo hizo matar. Una gran pérdida para los Estados Unidos. Hombre interesante. Bierce, gran escritor crítico. Escribió el *Devil's Dictionary*. Bueno, él tenía esta gran ilusión de Pancho Villa como justiciero; quizá sufrió un desengaño, y lo dijo: era un

30 crítico. Y Villa era como los dioses de la guerra, que no quieren ser criticados ... y era un hombre, y tampoco los hombres quieren ser criticados, y lo mató.

CÉSAR: Pero no hay ninguna certeza de eso. Ambrose Bierce llegó a México en noviembre de 1913; se reunió con las fuerzas

35 de Villa en seguida, y desapareció a raíz de la batalla de Ojinaga.[3] Fueron muchas las bajas; los muertos fueron enterrados apresuradamente, o abandonados y quemados después, sin identificar. Con toda probabilidad, Bierce fué

I

23

uno de ellos. O bien, fué fusilado por Urbina, en 1915, cuando intentó pasar al ejército constitucionalista. Pero Villa nada tuvo que ver con ello.

BOLTON: Mi tesis es más romántica, quizás; pero Bierce no era hombre para desaparecer así, en una batalla, por accidente. 5 Para mí, fué deliberadamente destruído. Destruído es la palabra. Sin embargo, usted parece bien enterado.

CÉSAR (con una sonrisa): Algo. Tengo algunos documentos sobre los extranjeros que acompañaron a Villa ... Santos Chocano, Ambrose Bierce, John Reed ... [4]   10

BOLTON: ¿Es posible? ¡Oh, pero entonces usted me será utilísimo! Quizá sabe algo también sobre el otro caso.

CÉSAR: ¿Cuál es el otro caso?

BOLTON: El de un hombre extraordinario. Un general mexicano, joven, el más grande revolucionario, que inició la revolución 15 en el Norte, hizo comprender a Madero [5] la necesidad de una revolución, dominó a Villa. A los veintitrés años era general. Y también desapareció una noche ... destruído como Ambrose Bierce.

CÉSAR (pausadamente): ¿Se refiere usted a César Rubio?   20

BOLTON: ¡Oh, pero usted sabe! Si yo pudiera encontrar documentos sobre él, los pagaría muy caros; mi universidad me respalda. Porque todos creen hasta hoy que César Rubio es una ... saga, un mito.

CÉSAR (echando la cabeza hacia atrás, con el gesto de recordar): 25 General a los veintitrés años, y el más extraordinario de todos, es cierto. Pocas gentes saben que se levantó en armas precisamente a raíz de la entrevista Creelman-Díaz,[6] el 5 de septiembre de 1908. Se levantó aquí, en el Norte, y se dirigió a Monterrey con cien hombres. En Hidalgo ... 30 mientras el general Díaz [7] y cada gobernador repetían el grito de independencia, un destacamento federal barrió a todos los hombres de César Rubio. Sólo él y dos compañeros suyos quedaron con vida.

BOLTON (anhelante): Sí, sí.   35

CÉSAR: César fué entonces a Piedras Negras, donde entrevistó a don Pancho Madero y lo convenció de la necesidad de un cambio, de una revolución. Madero se decidió entonces, y sólo

24   I

entonces, a publicar *La sucesión presidencial*. Mientras en todo el país se celebraban las fiestas del Centenario, Rubio sostuvo las primeras batallas, recorrió toda la República, puso en movimiento a Madero, agitó a algunos diputados
5 y preparó las jornadas de noviembre. No hubo un solo disfraz que no usara, una sola acción que no acometiera, aunque lo perseguía toda la policía porfirista.

BOLTON (*excitadísimo*): ¿Está usted seguro? ¿Tiene documentos?

CÉSAR: Tengo documentos.

10 BOLTON: Pero entonces, esto es maravilloso ... usted sabe más que ningún historiador mexicano.

CÉSAR (*con una sonrisa extraña*): Tengo mis motivos.

(*Entra* ELENA *de la cocina, y aunque sin escuchar ostensiblemente, sigue la conversación a la vez que*
15 *sale y vuelve, disponiendo la mesa para la cena.* CÉSAR *se vuelve con molestia para ver quién ha entrado.*)

BOLTON: Pero lo más interesante de Rubio no es esto.

CÉSAR: ¿Se refiere usted a su crítica del gobierno de Madero?

20 BOLTON: No, no; eso, como el levantamiento contra Huerta,[8] como sus ... (*busca la palabra*) sus disensiones con Carranza, Villa y Zapata,[9] pertenecen a su fuerte carácter.

CÉSAR: ¿A qué se refiere usted entonces? (ELENA *sale.*)

BOLTON: A su desaparición misma, a su destrucción ... una cosa tan
25 fuera de su carácter, que no puede explicarse. ¿Por qué desapareció este hombre en un momento tan decisivo de la revolución, para dejar el control a Carranza? No creo que haya muerto; pero, si murió, ¿cómo, por qué murió?

CÉSAR (*soñador*): Sí, fué el momento decisivo, ¿verdad? ... una
30 noche de noviembre de 1914.

BOLTON: ¿Sabe usted algo sobre eso? Dígamelo, déme documentos. Mi universidad los pagará bien. (*Vuelve* ELENA, CÉSAR *la ve.*)

CÉSAR (*despertando*): Su universidad ... Hace poco hablaba yo a
35 mi esposa de las universidades de ustedes ... son grandes.

BOLTON: ¡Oh! Fuera de Harvard, usted sabe ... distinguidas quizá, pero jóvenes, demasiado jóvenes. Pero hábleme más de este asunto. (CÉSAR *se vuelve a mirar hacia* ELENA, *que*

I   25

en este momento permanece de espaldas pero en toda apariencia sin hacer nada que le impida escuchar.) No tenga usted recelo a darme informes. Mi universidad tiene mucho dinero para invertir en esto.

CÉSAR: Una noche de noviembre de 1914 ... pronto hará veinticuatro años. (*Vuelve a mirar hacia* ELENA, *que dispone la mesa.*) ¿Por qué tiene usted tanto interés en esto?

BOLTON: Personalmente tengo más que interés ... entusiasmo por México, una pasión; pero ningún hombre en México me ha interesado como este César Rubio. (*Ríe.*) He acabado por contagiar a toda mi universidad de entusiasmo por este héroe. (ELENA *sale y regresa en seguida, fingiéndose atareada.*)

CÉSAR (*observando a* ELENA *mientras habla*): ¿Y por qué este héroe y no otro más tradicional, más ... convencional, como Villa, o Madero, o Zapata? Ustedes los americanos admiran mucho a Villa desde que hizo andar a Pershing a salto de mata.

BOLTON (*sonriendo*): Pero ¿no comprende usted, que sabe tanto de César Rubio? Él es el hombre que explica la revolución mexicana, que tiene un concepto total de la revolución y que no la hace por cuestión de gobierno, como unos, ni para el Sur, como otros, ni para satisfacer una pasión destructiva. Es el único caudillo que no es político, ni un simple militarista, ni una fuerza ciega de la naturaleza ... y sin embargo (ELENA *sale*) manda a los políticos, somete a los bandidos, es un gran militar ... pacifista, si puedo decir así.

CÉSAR: Decía usted que su universidad tiene mucho dinero ... ¿Cuánto, por ejemplo?

BOLTON (*un poco desconcertado por lo directo de la pregunta*): No sé. A mí me han dado una suma para mi trabajo de búsqueda, pero podría consultar ... si viera los documentos.

IV   (JULIA *entra de la cocina, cruza y se dirige a la puerta izquierda, saliendo.* CÉSAR *la sigue con la vista, sin dejar de hablar, hasta que desaparece.*)

CÉSAR: Parece que desconfía usted.

BOLTON: No soy yo quien puede comprar, es Harvard.

26   I

CÉSAR (*dudando*): Ustedes lo compran todo.

BOLTON (*sonriendo*): ¿Por qué no, si es para la cultura?

CÉSAR: Los códices, los manuscritos, los incunables, las joyas arqueológicas de México; comprarían a Taxco, si pudieran llevárselo a su casa. Ahora le toca el turno a la verdad sobre César Rubio.

BOLTON (*ante lo inesperado del ataque*): No entiendo. ¿Está usted ofendido? Hace un momento parecía comunicativo.

CÉSAR: También a mí me apasiona el tema. Pero todo lo que poseo es la verdad sobre César Rubio ... y no podría darla por poco dinero ... ni sin ciertas condiciones.

BOLTON: Yo haré lo posible por hacer frente a ellas.

CÉSAR (*desilusionado*): Ya sabía yo que regatearía usted.

BOLTON: Perdón, es una expresión inglesa ... hacer frente a sus condiciones, es decir ... (*buscando*) ¡oh!, satisfacerlas.

CÉSAR: Eso es diferente. (*Reenciende su cigarro de hoja.*) Pero ¿tiene usted una idea de la suma?

BOLTON (*incómodo: esta actitud en un mexicano es inesperada*): No sé bien. Dos mil dólares ... tres mil tal vez ...

CÉSAR (*levantándose*): Se me figura que tendrá usted que buscar sus informes en otra parte ... y que no los encontrará.

BOLTON: Oh, siento mucho. (*Se levanta.*) Si es una cuestión de dinero podrá arreglarse. La universidad está interesada ... yo estoy ... apasionado, le digo. ¿Por qué no dice usted una cifra? (ELENA *entra de la cocina.*)

CÉSAR: Yo diría una. (*Mirando hacia* ELENA *y bajando la voz, con cierta impaciencia.*) Yo diría diez.

BOLTON (*arqueando las cejas*): ¡Oh, oh! Es mucho. (*Con sincero desaliento.*) Temo que no aceptarán pagar tanto.

CÉSAR (*haciendo seña de salir a* ELENA, *que lo mira*): Entonces lo dejaremos allí, señor ... (*Busca la tarjeta del norteamericano en las bolsas de su pantalón, la encuentra, la mira.*) señor Bolton. (*Juega con la tarjeta.*)

BOLTON: Sin embargo, yo puedo intentar ... intentaré ...

CÉSAR: Una noche de noviembre de 1914, señor Bolton—la noche del 17 de noviembre, para ser preciso—, César Rubio atravesaba con su asistente y dos ayudantes un paso de la sierra de Nuevo León para dirigirse a Monterrey y de allí

I

a México, donde tenía cita con Carranza. Había mandado por delante un destacamento explorador, y a varios kilómetros lo seguía el grueso de sus fuerzas. En ese momento Rubio tenía el contingente mejor organizado y más numeroso, y todos los triunfos en la mano. Era el hombre de la 5 situación. Sin embargo, su ejército no lo alcanzó nunca, aunque siguió adelante esperando encontrarlo. Cuando se reunió con el destacamento explorador en San Luis Potosí diez días después, la oficialidad se enteró de que su jefe había desaparecido. Con él desaparecieron sus dos ayudan- 10 tes, uno de los cuales era su favorito, y su asistente.

BOLTON: Pero ¿qué pasó con él?

CÉSAR: *Eso* es lo que vale diez mil dólares.

BOLTON (*excitado*): Yo le ofrezco a usted completar esa suma con el dinero de mi beca, con una parte de mis ahorros, si la 15 universidad paga más de seis. ¿Tiene usted confianza?

CÉSAR: Sí.

BOLTON: ¿Tiene usted documentos?

CÉSAR (*después de una breve duda*): Sí.

BOLTON: Entonces dígame ... me quemo por saber ... 20

CÉSAR: En un punto que puedo enseñarle, el ayudante favorito de César Rubio disparó tres veces sobre él y una sobre el asistente, que quedó ciego.

BOLTON: ¿Y qué pasó con el otro ayudante? Usted dijo dos.

CÉSAR (*vivamente*): No ... uno, su ayudante favorito. Rubio, antes 25 de morir, alcanzó a matarlo ... era el capitán Solís.

BOLTON: Pero usted decía que el ejército no se reunió nunca con César Rubio. Si seguía el mismo camino, tuvo que encontrar los cuerpos. Y se sabe que el cuerpo de él no apareció nunca; no sé los otros. 30

CÉSAR: Cuando usted vea el lugar, comprenderá. Rubio se desvió del camino sin darse cuenta, conversando con el ayudante. Más bien, el ayudante se encargó de desviarlo. Seguían marchando hacia Monterrey, pero no en línea recta. Se apartaron cuando menos de un kilómetro hacia los montes. 35

BOLTON: Pero ¿quién ordenó este crimen?

CÉSAR: Todo ... las circunstancias, los caudillos que se odiaban y

28   I

procuraban exterminarse entre sí ... y que se asociaron contra él.

BOLTON: ¿Y los cuerpos, entonces?

CÉSAR: Los cuerpos se pudrieron en el sitio, en una oquedad de la
5   falda de un cerro.

BOLTON: ¿El asistente?

CÉSAR: Escapó, ciego. Él registró los cadáveres cuando su dolor
físico se lo permitió ... él me contó a mí la historia.

BOLTON: ¿Y qué documentos tiene usted?

10 CÉSAR: Tengo actas municipales acerca de sus asaltos, informes de
sus escaramuzas y combates, versiones taquigráficas de
algunas de sus entrevistas ... una de ellas con Madero, otra
con Carranza. El capitán Solís era un buen taquígrafo.

BOLTON: No, no. Quiero decir ... ¿qué pruebas de su muerte?

15 CÉSAR: Los papeles de identificación de César Rubio ... un telegrama manchado con su sangre, por el que Carranza lo
citaba en México para diciembre.

BOLTON: ¿Nada más?

CÉSAR: Solís tenía también un telegrama en clave, que he logrado
20   descifrar, donde le ofrecían un ascenso y dinero si pasaba
algo que no se menciona ... pero sin firma.

BOLTON: ¿Eso es todo lo que tiene? (*Súbitamente desconfiado.*)
¿Por qué está usted tan íntimamente enterado de estas
cosas?

25 CÉSAR: El asistente ciego me lo dijo todo.

BOLTON: No ... digo todas estas cosas ... antes me ha dicho usted
detalles desconocidos de la vida de César Rubio que ningún
historiador menciona. ¿Cómo ha hecho usted para saber?

CÉSAR (*con su sonrisa extraña*): Soy profesor de historia, como
30   usted, y he trabajado muchos años.

BOLTON: ¡Oh, somos colegas! ¡Me alegro! Es indudable que entonces ... ¿Por qué no ha puesto usted todo esto en un libro?

CÉSAR: No lo sé ... inercia; la idea de que hay demasiados libros me
lo impide quizás ... o soy infecundo, simplemente.

35 BOLTON: No es verosímil. (*Se golpea los muslos con las manos y se
levanta.*) Perdóneme, pero no lo creo.

CÉSAR: (*levantándose*): ¿Cómo?

I   **29**

BOLTON: No lo creo ... no es posible.

CÉSAR: No entiendo.

BOLTON: Además, es contra toda lógica.

CÉSAR: ¿Qué?

BOLTON: Esto que usted cuenta. No es lógico un historiador que no escribe lo que sabe. Perdone, profesor, no creo.

CÉSAR: Es usted muy dueño.

BOLTON: Luego, estos documentos de que habla no valen diez mil dólares ... que son cincuenta mil pesos, perdone mi traducción ... ni prueban la muerte de Rubio.

CÉSAR: Entonces, busque usted por otro lado.

BOLTON (*brillante*): Tampoco es lógico, sobre todo. Usted sabe qué hombre era César Rubio ... el caudillo total, el hombre elegido. ¿Y qué me da? Un hombre como él, matado a tiros en una emboscada por su ayudante favorito.

CÉSAR: No es el único caso en la revolución.

BOLTON (*escéptico*): No, no. ¿Él, que era el amo de la revolución, muere así nada más ... cuando más necesario era? Me habla usted de cadáveres desaparecidos, que nadie ha visto, de papeles que no son prueba de su muerte.

CÉSAR: Pide usted demasiado.

BOLTON: El enigma es grande. Y la teoría parece absurda. No corresponde al carácter de un hombre como Rubio, con una voluntad tan magnífica de vivir, de hacer una revolución sana; no corresponde a su destino. No lo creo. (*Se sienta con mal humor y desilusión en uno de los sillones.*)

CÉSAR (*después de una pausa*): Tiene usted razón; no corresponde a su carácter ni a su destino. (*Pausa. Pasea un poco.*) Y bien, voy a decirle la verdad.

BOLTON (*iluminado*): Yo sabía que eso no podía ser cierto.

CÉSAR: La verdad es que César Rubio no murió de sus heridas.

BOLTON: ¿Cómo explica usted su desaparición entonces? ¿Un secuestro hasta que Carranza ganó la revolución?

CÉSAR (*con lentitud, como reconstruyendo*): Rubio salió de la sierra con su asistente ciego.

BOLTON: Pero ¿por qué no volvió a aparecer? No era capaz de emigrar, ni de esconderse.

CÉSAR (*dubitativo, pausado*): En efecto ... no era capaz. Sus heridas

I

no tenían gravedad; pero se enfermó a consecuencia de ellas ... del descuido inevitable ... tres, cuatro meses. Entretanto, Carranza promulgó la ley del 6 de enero de 1915,[10] en Veracruz, como último recurso, y ganó la primera jefatura de la revolución. Esto agravó la enfermedad de César, y ...

BOLTON: ¡No me diga usted ahora que murió de enfermedad, en su cama, como ... como un profesor!

CÉSAR (*mirándolo extrañamente*): ¿Qué quiere usted que le diga, entonces?

BOLTON: La verdad ... si es que usted la sabe. Una verdad que corresponde al carácter de César Rubio, a la lógica de las cosas. La verdad siempre es lógica.

CÉSAR: Bien. (*Duda.*) Bien. (*Pequeña pausa.*) Se enfermó más gravemente ... pero no del cuerpo, cuando supo que la revolución había caído por completo en las manos de gente menos pura que él. Encontró que lo habían olvidado. En muchas regiones ni siquiera habían oído hablar de él, que era el autor de todo ...

BOLTON: Si hubiera sido americano *habría* tenido gran publicidad.

CÉSAR: Los héroes mexicanos son diferentes. Encontró que lo confundían con Rubio Navarrete, con César Treviño.[11] La popularidad de Carranza, de Zapata y de Villa, sus luchas, habían ahogado el nombre de César Rubio. (*Se detiene.*)

BOLTON: Eso suena más humano, más posible.

CÉSAR: Su enfermedad lo había debilitado mucho. El desaliento retardó su convalecencia. Cuando quiso volver, después de más de un año, fué inútil. No había lugar para él.

BOLTON (*impresionado*): Sí ... sí, claro. ¿Qué hizo?

CÉSAR: Su ejército se había disuelto, sus amigos habían muerto en las grandes matanzas de aquellos años ... otros lo habían traicionado. Decidió desaparecer.

BOLTON: ¿Va usted a decirme ahora que se suicidó?

CÉSAR (*con la misma extraña sonrisa*): No, puesto que usted quiere la verdad lógica.

BOLTON: ¿Bien?

CÉSAR: Se apartó de la revolución completamente desilusionado, y pobre.

BOLTON (*con ansiedad*): ¡Pero vive!

I   31

CÉSAR (*acentuando su sonrisa*): Vive.

BOLTON: Le daré la cantidad que usted ha pedido si me lo prueba.

CÉSAR: ¿Qué prueba quiere usted?

BOLTON: El hombre mismo. Quiero ver al hombre.

(ELENA *pasa de la cocina al comedor llevando pan* 5
y servilletas.)

CÉSAR: Tiene usted que prometerme que no revelará la verdad a nadie. Sin esta condición no aceptaría el trato, aunque me diera usted un millón.

BOLTON: ¿Por qué? 10

CÉSAR: Tiene usted que prometer. Él no quiere que se sepa que vive.

BOLTON: Pero ¿por qué?

CÉSAR: No sé. Quizás espera que la gente lo recuerde un día ... que desee y espere su vuelta.

BOLTON: Pero yo no puedo prometer el silencio. Yo voy a enseñar 15 en los Estados Unidos lo que sé, mis estudiantes lo esperan de mí.

CÉSAR: Puede usted decir que vive; pero que no sabe dónde está.

(ELENA *sale a la cocina.*)

BOLTON (*moviendo la cabeza*): La historia no es una novela. Mis 20 estudiantes quieren los hechos y la filosofía de los hechos, pagan por ello, no por un sueño, un ... mito.

CÉSAR: Sin embargo, la historia no es más que un sueño. Los que la hicieron soñaron con cosas que no se realizaron; los que la estudian sueñan con cosas pasadas; los que la enseñan (*con* 25 *una sonrisa*) sueñan que poseen la verdad y que la entregan.

BOLTON: ¿Qué quiere usted que prometa entonces?

CÉSAR: Prométame que no revelará la identidad actual de César Rubio. (ELENA *sale a la cocina y vuelve con una sopera* 30 *humeante.*)

BOLTON (*pausa*): ¿Puedo decir todo lo demás ... y probarlo?

CÉSAR: Sí.

BOLTON: Trato hecho. (*Le tiende la mano.*) ¿Cuándo me llevará usted a ver a César Rubio? ¿Dónde está? 35

CÉSAR (*la voz ligeramente empañada*): Quizá lo verá usted más pronto de lo que imagina.

BOLTON: ¿Qué ha hecho desde que desapareció? Su carácter no es para la inactividad.

CÉSAR: No.

BOLTON: ¿Pudo dejar de ser un revolucionario?

5 CÉSAR: Suponga usted que escogió una profesión humilde, oscura.

BOLTON: ¿Él? Oh, sí. ¿Quizás arar el campo? Él creía en la tierra.

CÉSAR: Quizás; pero no era el momento ...

BOLTON: Es verdad.

CÉSAR: Había otras cosas que hacer ... había que continuar la revolu-
10 ción, limpiarla de las lacras personales de sus hombres ...

BOLTON: Sí. César Rubio *lo* haría. Pero ¿cómo?

CÉSAR (*con voz empañada siempre*): Hay varias formas. Por ejemplo, llevar la revolución a un terreno mental ... pedagógico.

BOLTON: ¿Qué quiere usted decir?

15 CÉSAR: Ser, en apariencia, un hombre cualquiera ... un hombre
como usted ... o como yo ... un profesor de historia de la
revolución, por ejemplo.

BOLTON (*cayendo casi de espaldas*): ¿Usted?

CÉSAR (*después de una pausa*): ¿Lo he afirmado así?

20 BOLTON: No ... pero ... (*Reaccionando bruscamente, se levanta.*)
Comprendo. ¡Por eso es por lo que no ha querido usted
publicar la verdad! (CÉSAR *lo mira sin contestar.*) Eso lo
explica todo, ¿verdad?

CÉSAR: (*Mueve afirmativamente la cabeza. Con voz concentrada,*
25 *con la vista fija en el espacio, sin ocuparse en* ELENA, *que
lo mira intensamente desde el comedor.*) Sí ... lo explica
todo. El hombre olvidado, traicionado, que ve que la
revolución se ha vuelto una mentira, *pudo* decidirse a
enseñar historia ... la verdad de la historia de la revolución,
30 ¿no?

(ELENA, *estupefacta, sin gestos, avanza unos pasos
hacia los arcos.*)

BOLTON: Sí. ¡Es ... maravilloso! Pero usted ...

CÉSAR (*con su extraña sonrisa*): ¿Esto no le parece a usted increíble,
35 absurdo?

BOLTON: Es demasiado fuerte, demasiado ... heroico; pero corresponde a su carácter. ¿Puede usted probar ... ?

I   33

ELENA (*pasando a la sala*): La cena está lista. (*Va a la puerta izquierda y llama.*) ¡Julia! ¡Miguel! ¡La cena! (*Se oye a* MIGUEL *bajar rápidamente la escalera.*)

BOLTON (*a* ELENA): Gracias, señora. (A CÉSAR.) ¿Puede usted?
(CÉSAR *afirma con la cabeza. Entra* MIGUEL. 5
JULIA *llega un segundo después.*)

ELENA (*a* BOLTON): Pase usted.

BOLTON (*absorto*): Gracias. (*Se dirige al comedor, de pronto se vuelve a* CÉSAR, *que está inmóvil.*) ¡Es maravilloso!

MIGUEL (*mirándolo extrañado*): Pase usted. 10

BOLTON: Maravilloso. ¡Oh, gracias!

ELENA: Empieza a servir, Julia, ¿quieres?
(JULIA *pasa al comedor.* MIGUEL *que se ha quedado en la puerta, mira con desconfianza a* BOLTON, *luego a* CÉSAR, *percibiendo algo particular.* 15
CÉSAR, *consciente de esta mirada vigilante, camina unos pasos hacia el primer término derecho.* ELENA *lo sigue.*)

ELENA: César ...

CÉSAR (*se vuelve bruscamente y ve a* MIGUEL): Entra en el come- 20
dor y atiende al señor (*mira la tarjeta*) Bolton. (A BOLTON.) Pase usted. Yo voy a lavarme, si me permite. (*Se dirige a la izquierda bajo la mirada de* MIGUEL *que, después de dejar pasar a* BOLTON, *se encoge de hombros y entra.*) 25

ELENA (*que ha seguido a* CÉSAR *a la izquierda, lo detiene por un brazo*): ¿Por qué hiciste eso, César?

CÉSAR (*desasiéndose*): Necesito lavarme.

ELENA: ¿Por qué lo hiciste? Tú sabes que no está bien, que has (*muy bajo*) mentido. 30
(CÉSAR *se encoge violentamente de hombros y sale.* ELENA *permanece en el sitio siguiéndolo con la vista. Se oyen sus pasos en la escalera. Del comedor salen ahora voces.*)

JULIA: Siéntese usted, señor. 35

BOLTON: Gracias. Digo, sólo en la revolución mexicana pueden encontrarse episodios así, ¿verdad?

MIGUEL: ¿A qué se refiere usted?

34 I

(*Casi a la vez*) {BOLTON: Hombres tan sorprendentes como ...
ELENA (*reaccionando bruscamente y dirigiéndose con energía al comedor*): Mis hijos no saben nada de eso, profesor. Son demasiado jóvenes.

BOLTON (*levantándose, absolutamente convencido ya*): ¡Oh, claro está, señora! Comprendo ... pero es maravilloso de todas maneras.

TELÓN

ACTO SEGUNDO

ACTO SEGUNDO

Cuatro semanas más tarde, en casa del profesor V
César Rubio. Son las cinco de la tarde. Hace calor,
un calor seco, irritante. Las puertas y la ventana
están abiertas. Julia hace esfuerzos por leer un
libro, pero frecuentemente abandona la lectura para
abanicarse con él. Lleva un traje de casa, excesiva-
mente ligero, que señala con demasiada precisión
sus formas. Deja caer el libro con fastidio y se
asoma a la ventana derecha. De pronto grita:

Julia: ¿Carta para aquí? (*Después de un instante se vuelve al*
frente con desaliento. Recoge el libro y vuelve nuevamente
la cabeza hacia la ventana.)

(*Mientras ella está así, El desconocido—Na-*
varro—se detiene en el marco de la puerta dere-
cha. Es un hombre alto, enérgico, de unos cin-
cuenta y dos años. Tiene el pelo blanco y un bigote
de guías a la kaiser, muy negro, que casi parece
teñido. Viste, al estilo de la región, ropa muy
ligera. Se detiene, se pone las manos en la cintura
y examina la pieza. Al ver la forma de Julia des-
tacada junto a la ventana, sonríe y se lleva instin-
tivamente la mano a la guía del bigote. Julia se

II   39

vuelve, levantándose. Al ver al desconocido se sobresalta.)

DESCONOCIDO: Buenas tardes. Me han dicho que vive aquí César Rubio. ¿Es verdad, señorita?

JULIA: Yo soy su hija. 5

DESCONOCIDO: ¡Ah! (*Vuelve a retorcerse el bigote.*) Conque vive aquí. Bueno, es raro.

JULIA: ¿Por qué dice usted eso?

DESCONOCIDO: ¿Y dónde está César Rubio?

JULIA: No sé ... salió. 10

DESCONOCIDO (*con un gesto de contrariedad*): Regresaré a verlo. Tendré que verlo para creer ...

JULIA: Si quiere usted dejar su nombre, yo le diré.

DESCONOCIDO (*después de una pausa*): Prefiero sorprenderlo. Soy un viejo amigo. Adiós, señorita. (*Se atusa el bigote, sonríe* 15 *con insolencia y recorre el cuerpo de* JULIA *con los ojos. Ella se estremece un poco. Él repite, mientras la mira.*) Soy un amigo ... un antiguo amigo. (*Sonríe para sí.*) Y espero volver a verla a usted también, señorita.

JULIA: Adiós. 20

DESCONOCIDO (*sale contoneándose un poco y se vuelve a verla desde la puerta*): Adiós, señorita. (*Sale.*)

(JULIA *se encoge de hombros. Se oyen los pasos de* ELENA *en la escalera.* JULIA *reasume su posición de lectura.*) 25

ELENA (*entrando*): ¿Quién era? ¿El cartero?

JULIA: No ... un hombre que dice que es un antiguo amigo de papá. Lo dijo de un modo raro. Dijo también que volvería. Me miró de una manera tan desagradable ...

ELENA (*con intención*): ¿Dices que no pasó el cartero? 30

JULIA: Pasó ... pero no dejó nada.

ELENA: ¿Esperabas carta?

JULIA: No.

ELENA: Haces mal en mentirme. Sé que has escrito a ese muchacho otra vez. ¿Por qué lo hiciste? (JULIA *no responde.*) Las 35 mujeres no deben hacer esas cosas; no haces sino buscarte una tortura más, esperando, esperando todo el tiempo.

JULIA: Algo he de hacer aquí. Mamá, no me digas nada. (*Se estremece.*)

ELENA: ¿Qué tienes?

JULIA: Estoy pensando en ese hombre que vino a buscar a papá ...
5   en cómo me miró. (*Transición brusca. Arroja el libro.*)
¿Vamos a estar así toda la vida? Yo ya no puedo más.

ELENA (*moviendo la cabeza*): No es esto lo que te atormenta, Julia, sino el recuerdo de México. Si olvidaras a ese muchacho, te resignarías mejor a esta vida.

10 JULIA: Todo parece imposible. ¿Y mi padre qué hace? Irse por la mañana, volver por la noche, sin resolver nada nunca, sin hacer caso de nosotros. Hace semanas que no se puede hablarle sin que se irrite. Me pregunto si nos ha querido alguna vez.

15 ELENA: Le apena que sus asuntos no vayan mejor, más rápidamente. Pero tú no debes alimentar esas ideas que no son limpias, Julia.

JULIA: Miguel también está desesperado, con razón.

ELENA: Son ustedes tan impacientes ... ¿Dónde está ahora tu her-
20   mano?

JULIA: Se fué al pueblo, a buscar trabajo. Dice que se irá. Hace bien. Yo debía ...

ELENA: ¿Qué puede uno hacer con hijos como ustedes, tan apasionados, tan incomprensivos? Te impacienta esperar un
25   cambio en la suerte de tu padre, pero no te impacienta esperar que te escriba un hombre que no te quiere.

JULIA: Me haces daño, mamá.

ELENA: La verdad es la que te hace daño, hija. (JULIA *se levanta y se dirige a la izquierda.*) Hay que planchar la ropa.
30   ¿Quieres traerla? Está tendida en el solar.

    (JULIA, *sin responder, pasa al comedor y de allí a la cocina para salir al solar.* ELENA *la sigue con la vista, moviendo la cabeza, y pasa a la cocina. La escena queda desierta un momento. Por la*
35   *derecha entra* CÉSAR *con el saco al brazo, los zapatos polvosos. Tira el saco en una silla y se tiende en el sofá de tule enjugándose la frente. Acostado,*

II   **41**

lía, metódicamente como siempre, un cigarro de hoja. Lo enciende. Fuma. ELENA *entra en el comedor, percibe el olor del cigarro y pasa a la sala.*)

ELENA: ¿Por qué no me avisaste que habías llegado?

CÉSAR: Dame un vaso de agua con mucho hielo. 5

(ELENA *pasa al comedor y vuelve un momento después con el agua.* CÉSAR *se incorpora y bebe lentamente.*)

ELENA: ¿Arreglaste algo?

CÉSAR (*tendiéndole el vaso vacío*): ¿No crees que te lo habría 10 dicho si así fuera? Pero no puedes dejar de preguntarlo, de molestarme, de ... (*Calla bruscamente.*)

ELENA (*dando vueltas al vaso en sus manos*): Julia tiene razón ... hace ya semanas que parece que nos odias, César.

CÉSAR: Hace semanas que parece que me vigilan todos ... tú, Julia, 15 Miguel. Espían mis menores gestos, quieren leer en mi cara no sé qué cosas.

ELENA: ¡César!

JULIA (*entra en el comedor llevando un lío de ropa*): Aquí está la ropa, mamá. 20

ELENA (*va hacia el comedor para dejar el vaso*): Déjala aquí. O mejor no. Hay que recoserla antes de plancharla. ¿Quieres hacerlo en tu cuarto?

(JULIA *pasa, sin contestar, a la sala, y cruza hacia la izquierda sin hablar a su padre.*) 25

CÉSAR (*viéndola*): ¿Sigue molestándote mucho el calor, Julia?

JULIA (*sin volverse*): Menos que otras cosas ... menos que yo misma, papá. (*Sale.*)

CÉSAR: ¿Ves cómo me responde? ¿Qué les has dicho tú, que cada vez siento a mis hijos más contra mí? 30

ELENA (*con lentitud y firmeza*): Te engañas, César, no te atreves a ver la verdad. Crees que somos nosotros, que soy yo sobre todo la que te incomoda y te persigue. No es eso. Eres tú mismo.

CÉSAR: ¿Qué quieres decir? 35

ELENA: Lo sabes muy bien.

CÉSAR (*sentándose bruscamente*): Acabemos ... habla claro.

ELENA: No podría yo hablar más claro que tu conciencia, César.

II

Estás así desde que se fué Bolton ... desde que cerraste el
trato con él.

CÉSAR (levantándose furioso): ¿Ves cómo me espías? Me espiaste
aquella noche también.

5 ELENA: Oí por casualidad, y te reproché que mintieras.

CÉSAR: Yo no mentí. Puesto que oíste, debes saberlo. Yo no afirmé
nada, y le vendí solamente lo que él quería comprar.

ELENA: La forma en que hablaste era más segura que una afirmación. No sé cómo pudiste hacerlo, César, ni menos, cómo
10 te extraña el que te persiga esa mentira.

CÉSAR: Supón que fuera la verdad.

ELENA: No lo era.

CÉSAR: ¿Por qué no? Tú me conociste después de ese tiempo.

ELENA: César, ¿dices esto para llegar a creerlo?

15 CÉSAR: Te equivocas.

ELENA: Puedes engañarte a ti mismo si quieres. No a mí.

CÉSAR: Tienes razón. Y sin embargo, ¿por qué no podría ser así?
Hasta el mismo nombre ... nacimos en el mismo pueblo,
aquí; teníamos más o menos la misma edad.

20 ELENA: Pero no el mismo destino. Eso no te pertenece.

CÉSAR: Bolton lo creyó todo ... era precisamente lo que él quería
creer.

ELENA: ¿Crees que hiciste menos mal por eso? No.

CÉSAR: ¿Por qué no lo gritaste entonces? ¿Por qué no me desen-
25 mascaraste frente a Bolton, frente a mis hijos?

ELENA: Sin quererlo, yo completé tu mentira.

CÉSAR: ¿Por qué?

ELENA: Tendrías que ser mujer para comprenderlo. No quiero
juzgarte, César ... pero esto no debe seguir adelante.

30 CÉSAR: ¿Adelante?

ELENA: Ví el paquete que trajiste la otra noche ... el uniforme, el
sombrero tejano.

CÉSAR: ¡Entonces me espías!

ELENA: Sí ... pero no quiero que te engañes más. Acabarías por
35 creerte un héroe. Y quiero pedirte una cosa: ¿qué vas a
hacer con ese dinero?

CÉSAR: No tengo que darte cuentas.

ELENA: Pero si no te las pido. Ni siquiera cuando era joven habría

II   43

sabido qué hacer con el dinero. Lo que quiero es que hagas algo por tus hijos ... están desorientados, desesperados.

CÉSAR: Tienes razón, tienes razón. He pensado en ellos, en ti, todo el tiempo. He querido hacer cosas. He ido a Saltillo, a Monterrey, a buscar una casa, a ver muebles. Y no he 5 podido comprar nada ... no sé por qué ... (*Baja la cabeza.*) Fuera de ese uniforme ... que me hacía sentirme tan seguro de ser un general.

ELENA: ¿No has pensado que podría descubrirse tu mentira?

CÉSAR: No se descubrirá. Bolton me dió su palabra. Nadie sabrá 10 nada.

ELENA: Tú, todo el tiempo. ¿Por qué no nos vamos de aquí? Los muchachos necesitan un cambio ... un verdadero cambio. Vámonos, César ... sé que tienes dinero suficiente ... no me importa cuánto. Ahora que lo tienes ... es el guardarlo lo 15 que te pone así.

CÉSAR: ¿Tengo derecho a usarlo? Eso es lo que me ha torturado. ¿Derecho a usarlo en mis hijos sin ... ?

ELENA: Tienes el dinero. Yo no podría verte tirarlo, ahora que lo tienes; no podría. Me dan tanta inquietud, tanta inseguri- 20 dad mis hijos.

CÉSAR: ¡Tirarlo! Lo he pensado; no pude. Y ... me da vergüenza confesártelo ... pero he llegado a pensar en irme solo.

ELENA: Lo sabía. Cada noche que te retrasabas pensaba yo: ahora ya no volverá. 25

CÉSAR: No fué por falta de cariño ... te lo aseguro.

ELENA: También lo sé ... eran remordimientos, César.

CÉSAR (*transición*): ¿Remordimientos por qué? Otros hombres han hecho otras cosas, cometido crímenes ... sobre todo en México. No robé a ningún hombre, no he arruinado a nadie. 30

ELENA: Tú sabes que si se descubriera esto, por lo menos Bolton, que es joven, perdería su prestigio, su carrera ... y nosotros, que no tenemos nada, la tranquilidad. Vámonos, César.

CÉSAR: Bolton mismo, si algo averiguara, tendría que callar para no comprometerse. ¿Y adónde podríamos ir? ¿A México? 35

ELENA: Siento que tú no estarías tranquilo allí.

CÉSAR: ¿Monterrey? ¿Saltillo? ¿Tampico?

44   II

ELENA: ¿Podrías vivir en paz en la República, César? Yo tendría siempre miedo por ti.

CÉSAR: No te entiendo.

ELENA: Tú lo sabes ... sabes que tendrías siempre delante el fantasma de. ...

CÉSAR (rebelándose): Acabarás por hacerme creer que soy un criminal. (Pausa.) ¿Por qué no ir a los Estados Unidos? ¿A California?

ELENA: Creo que sería lo mejor, César.

CÉSAR: Me cuesta salir de México.

ELENA: Nada te detiene aquí más que tus ideas, tus sueños, compréndelo.

CÉSAR: ¡Mis sueños! Siempre he querido la realidad: es lo que tú no puedes entender. Una realidad ... (Se encoge de hombros.) Mucho tiempo he tenido deseos de ir a California; pero no podría ser para toda la vida. (Reacción vigorosa.) Has acabado por hacerme sentir miedo; no nos iremos, no corro peligro alguno.

ELENA: ¿Has sentido miedo entonces? También sentiste remordimientos. ¿No te das cuenta de que esas cosas están en ti?

CÉSAR: Quien te oyera pensaría en algo sórdido y horrible, en un crimen. No, no he cometido ningún crimen. Lo que tú llamas remordimiento no era más que desorientación. Si no he usado el dinero es porque nunca había tenido tanto junto ... en mi vida ... he perdido la capacidad de gastar, como ocurre con nuestra clase; otros pierden la capacidad de comer, en fuerza de privaciones.

ELENA: Sí ... eso parece razonable ... parece cierto, César.

CÉSAR: ¿Entonces?

ELENA: Parece, porque lo generalizas. Pero no es cierto, César. Puede ser que no hayas cometido un crimen al tomar la personalidad de un muerto para ...

CÉSAR: ¡Basta!

ELENA: Puede ser que no haya cometido siquiera una falta. ¿Por qué sientes y obras como si hubieras cometido una falta y un crimen?

CÉSAR: ¡No es verdad!

II   45

ELENA: Me acusas de espiarte, de odiarte ... huyes de nosotros diariamente ... y en el fondo, eres tú el que te espías, me despierto a todas horas; eres tú el que empieza a odiarnos ... es como cuando alguien se vuelve loco, ¿no ves?

CÉSAR: ¿Y qué quieres que haga entonces? (*Pausa.*) O ... ¿reclamas tu parte? 5

ELENA: Yo soy de esas gentes que pierden la capacidad de comer: la he perdido a tu lado, en nuestra vida. No me quejo. Pero Miguel dijo que se quedaba porque tú le habías prometido no hacer nada deshonesto. 10

CÉSAR: ¿Y lo he hecho acaso?

ELENA: Tú lo sabes mejor que yo; pero tus hijos se secan de no hacer nada, César. Somos viejos ya y necesitamos el dinero menos que ellos. Puedes ayudarles a establecerse fuera de aquí. Podrías darles todo, para librarte de esas ideas ... ¿Qué 15 nos importa ser pobres unos cuantos años más, a ti y a mí?

CÉSAR (*muy torturado*): ¿No tenemos nosotros derecho a un desquite?

ELENA: Si tú quieres. Pero no los sacrifiquemos a ellos. Quizá no quieres irte de México porque pensaste que la gente podía 20 enterarse de que tenemos dinero ... por vanidad. Si nos vamos, César, seremos felices. Pondremos una tienda o un restorán mexicano, cualquier cosa. Miguel cree en ti todavía, a pesar de todo.

CÉSAR: ¡Déjame! ¿Por qué quieres obligarme a decidirlo todo 25 ahora? Después habrá tiempo ... habrá tiempo. (*Pausa.*) Me conoces demasiado bien.

ELENA: ¡Después! Puede ser tarde. No me guardes rencor, César. (*Le toma la mano.*) Hemos estado siempre como desnudos, cubriéndonos mutuamente. En el fondo eres recto ... ¿por 30 qué te avergüenzas de serlo? ¿Por qué quieres ser otra cosa ... ahora?

CÉSAR: Todo el mundo aquí vive de apariencias, de gestos. Yo he dicho que soy el otro César Rubio ... ¿a quién perjudica eso? Mira a los que llevan águila de general sin haber 35 peleado en una batalla; a los que se dicen amigos del pueblo y lo roban; a los demagogos que agitan a los obreros y los llaman camaradas sin haber trabajado en su vida con sus

46

II

manos; a los profesores que no saben enseñar, a los estudiantes que no estudian. Mira a Navarro, el precandidato ... yo sé que no es más que un bandido, y de eso sí tengo pruebas, y lo tienen por un héroe, un gran hombre nacional.

5 Y ellos sí hacen daño y viven de su mentira. Yo soy mejor que muchos de ellos. ¿Por qué no?

ELENA: Tú lo sabes ... también eso está en ti. Tú no, porque no, porque no.

CÉSAR: ¡Estúpida! ¡Déjame ya! ¡Déjame!

10 ELENA: Estás ciego, César.

(Entra MIGUEL *con el saco al brazo y un periódico* **VI** *doblado en la mano. Parece trastornado.* CÉSAR *y* ELENA *callan, pero parece que sus voces siguen sonando en la atmósfera.* CÉSAR *pasea de un ex-*

15 *tremo a otro.* MIGUEL *se sienta en el sofá, cansado, mirándolos lentamente.)*

ELENA: ¿Dónde estuviste, Miguel?

*(*MIGUEL *no contesta. Mira con intensidad a* CÉSAR. *La luz se hace más opaca, como si se cu-*

20 *briera de polvo.)*

CÉSAR *(volviéndose como picado por un aguijón)*: ¿Por qué me miras así, Miguel?

MIGUEL *(lentamente)*: He estado pensando que tus hijos sabemos muy poco de ti, padre.

25 CÉSAR: ¿De mí? Nada. Nunca les ha importado saber nada de mí.

MIGUEL: Pero me pregunto también si mamá sabe más de ti que nosotros, si nos ha ocultado algo.

ELENA: Miguel, ¿qué te pasa? Es como si me acusaras de ...

MIGUEL: Nada. Es curioso, sin embargo, que para saber quién es

30 mi padre tenga yo que esperar a que lo digan los periódicos.

CÉSAR: ¿Qué quieres decir?

MIGUEL *(desdoblando el periódico)*: Esto. Aquí hablan de ti.

CÉSAR *(yendo hacia él)*: Dame.

MIGUEL *(con una energía concentrada, rítmica casi)*: No. Voy a

35 leerte. Eso por lo menos lo aprendí.

*(*CÉSAR *y* ELENA *cambian una mirada rápida.)*

ELENA *(a media voz)*: ¡César!

MIGUEL *(leyendo con lentitud, martillando un poco las palabras)*:

II   47

"Reaparece un gran héroe mexicano. La verdad es más extraña que la ficción. Bajo este título, tomado de Shakespeare,[12] el profesor Oliver Bolton, de la Universidad de Harvard, publica en el *New York Times* una serie de artículos sobre la revolución mexicana."

CÉSAR: Sigue.

(ELENA *se acerca a él y toma su brazo, que va apretando gradualmente durante la lectura.*)

MIGUEL (*después de una mirada a su padre; leyendo con voz blanca*): "El primero relata la misteriosa desaparición, en 1914, del extraordinario general César Rubio, verdadero precursor de la revolución, según parece. Bolton describe la vertiginosa carrera de Rubio, su influencia sobre los destinos de México y sus hombres, hasta caer en una emboscada tendida por un subordinado suyo, comprado por sus enemigos. El artículo reproduce documentos aparentemente fidedignos, fruto de una honesta investigación."

ELENA: Había prometido, ¿ no?

CÉSAR: Calla.

MIGUEL (*los mira. Sonríe de un modo extraño y sigue leyendo*): "Estas revelaciones agitarán los círculos políticos y seguramente alterarán los textos de la historia mexicana contemporánea. Pero el golpe teatral está en el segundo artículo, donde Bolton refiere su reciente descubrimiento en México. Según él, César Rubio, desilusionado ante el triunfo de los demagogos y los falsos revolucionarios, oscuro, olvidado, vive—contra toda creencia—, dedicado en humilde cátedra universitaria—gana cuatro pesos diarios (ochenta centavos de dólar)—a enseñar la historia de la revolución para rescatarla ante las nuevas generaciones. (MIGUEL *levanta la vista hacia* CÉSAR, *que se vuelve a otra parte. Se oyen los pasos de* JULIA *en la escalera.*) Al estrechar la mano de este héroe—dice Bolton—prometí callar su identidad actual. Pero no resisto a la belleza de la verdad, al deseo de hacer justicia al hombre cuya conducta no tiene paralelo en la historia."

JULIA: Mamá.

MIGUEL (*volviéndose a ella*): Escucha. (*Lee.*) "Siendo digno

48   II

César Rubio de un homenaje nacional, puede además ser aún útil a su país, que necesita como nunca hombres desinteresados. Cincinato se retiró a labrar la tierra [13] convirtiéndose en un rico hacendado. César escribió sus *Co-*

5 *mentarios;* [14] pero ni estos héroes ni otros pueden equipararse a César Rubio, el gran caudillo de ayer, el humilde profesor de hoy. La verdad es siempre más extraña que la ficción." (*Pausa.*)

JULIA: ¿Qué quiere decir ...?

10 MIGUEL: Hay algo más. (*Lee.*) "El profesor Bolton declaró a los corresponsales extranjeros que encontró a César Rubio en una humilde casa de madera aislada cerca del pueblo de Allende, próximo a la carretera central."

ELENA: ¡Oh, César!

15 JULIA: ¿Papá, no entiendo ... esto se refiere a ...?

CÉSAR: ¿Es todo?

MIGUEL: No ... hay más. Pero dile a Julia que se refiere a ti, padre.

CÉSAR: Acaba.

MIGUEL: "La Secretaría de Guerra y el Partido Revolucionario in-

20 vestigan ya con gran reserva este caso por orden del Primer Magistrado de la Nación. A ser cierto, este acontecimiento revolucionará la política mexicana." Ahora sí es todo.

ELENA: ¿Qué vas a hacer ahora, César?

CÉSAR: Tenías razón. Debemos irnos.

25 MIGUEL: Pero yo quiero saber. ¿Es cierto esto? Y si es cierto, ¿por qué lo has callado tanto tiempo, padre?

JULIA (*apartando los ojos del periódico*): Tú, papá ... ¡Parece tan extraño!

MIGUEL: Dímelo.

30 ELENA: Interrogas a tu padre, Miguel.

MIGUEL: ¿Pero no comprendes, mamá? Tengo derecho de saber.

JULIA (*tirando el periódico y corriendo a abrazar a* CÉSAR): ¿Y te has sacrificado todo este tiempo, papá? Yo no sabía ... ¡Oh, me haces tan feliz! Me siento tan mala por no haber ...

35 (CÉSAR *la abraza de modo que le impide ver su rostro demudado.*)

MIGUEL: ¿Vas a decírmelo?

JULIA (*desprendiéndose, vehemente*): ¿Acaso no crees que sea

II   49

cierto? Deberíamos sentir vergüenza de cómo nos hemos portado con él, (*sonriendo*) con el señor General César Rubio.

MIGUEL: Papá, ¿no me lo dirás?

CÉSAR: Y bien ...   5

ELENA: Debemos irnos inmediatamente, César, ya que ha sucedido lo que queríamos evitar. Miguel, Julia, empaquen pronto. Nos vamos ahora mismo a los Estados Unidos. El tren pasará a las siete por el pueblo.

CÉSAR (*decidido*): Sí, es necesario.   10

(JULIA *se dirige a la izquierda.*)

MIGUEL: Pero esto parece una fuga. ¿Por qué? ¿Y por qué el silencio? No es más que una palabra ...

JULIA (*volviéndose*): Ven, Miguel, vamos.

CÉSAR (*con esfuerzo*): Se te explicará todo después. Ahora debemos 15 empacar y marcharnos.

(MIGUEL *le dirige la última mirada y cruza hacia la izquierda. Cuando se reúne con* JULIA *cerca de la puerta, se oye un toquido por la derecha. César y* ELENA *se miran con desamparo.*)   20

CÉSAR (*la voz blanca*): ¿Quién?

(*Cinco hombres penetran por la derecha en el orden siguiente: primero,* EPIGMENIO GUZMÁN, *presidente municipal de Allende; en seguida, el licenciado* ESTRELLA, *delegado del Partido en la* 25 *región y gran orador; en seguida,* SALINAS, GARZA *y* TREVIÑO, *diputados locales. Instintivamente* ELENA *se prende al brazo de* CÉSAR *y lo hace retroceder unos pasos.* JULIA *se sitúa un poco más atrás, al otro lado de* CÉSAR, *y* MIGUEL *al lado de* 30 *su madre. Este cuadro de familia desconcierta un poco a los recién llegados.*)

GUZMÁN (*limpiándose la garganta*): ¿Es usted el que dice ser el general César Rubio?

CÉSAR (*después de una rápida mirada a su familia se adelanta*): 35 Ése es mi nombre.

SALINAS (*adelantando un paso*): ¿Pero es usted el general?

50   II

GUZMÁN: Permítame, compañero Salinas. Yo voy a tratar esto.

ESTRELLA: Perdón. Creo que el indicado para tratarlo soy yo, señores. (*Blande un telegrama.*) Además, tengo instrucciones especiales.

(*ESTRELLA es alto, delgado, tiene esas facciones burdas con pretensión de raza. Usa grandes patillas y muchos anillos. Tiene la piel manchada por esas confusas manifestaciones cutáneas que atestiguan a la vez el exceso sexual y el exceso de abstención sexual. Los otros son norteños típicos, delgados SALINAS y TREVIÑO, gordos GARZA y GUZMÁN. Todos sanos, buenos bebedores de cerveza, campechanos, claros y decididos.*)

(*Simultáneamente*) ⎰TREVIÑO: Oye, Epigmenio...
⎱GARZA: Mire, compañero Estrella...

GUZMÁN: Me parece, señores, que esto me toca a mí, y ya.

CÉSAR (*que ha estado mirándolos*): Cualquiera que sea su asunto, señores, háganme favor de sentarse. (*Con un ademán hacia el grupo de sus familiares.*) Mi esposa y mis hijos.

(*Los visitantes hacen un saludo silencioso, menos ESTRELLA, que se dirige con una sonrisa a estrechar la mano de ELENA, JULIA y MIGUEL, murmurando saludos banales. Es un capitalino de la baja clase media. Entretanto, EPIGMENIO GUZMÁN ha estado observando intensamente a CÉSAR.*)

GUZMÁN: Nuestro asunto es enteramente privado. Sería preferible que... (*Mira a la familia.*)

CÉSAR: Elena...

(*ELENA toma de la mano a JULIA e inician el mutis. MIGUEL permanece mirando a su padre y a los visitantes alternativamente.*)

ESTRELLA: De ninguna manera. El asunto que nos trae exige el secreto más absoluto para todos, menos para los familiares del señor Rubio.

(*ELENA y JULIA se han vuelto.*)

SALINAS: No necesitamos la presencia de las señoras por ahora.

TREVIÑO: Esto es cosa de hombres, compañero.

II   51

CÉSAR (irónico, inquieto en realidad por la tensa atención de MIGUEL, por la angustia de ELENA): Si es por mí, señores, no se preocupen. No tengo secretos para mi familia.

GARZA: Lo mejor es aclarar las cosas de una vez. Usted ... 5

ESTRELLA: Compañero diputado, me permito recordarle que tengo la representación del partido para tratar este asunto. Estimo que la señora y la señorita, que representan a la familia mexicana, deben quedarse.

CÉSAR: Tengan la bondad de sentarse, señores, (Todos se instalan 10 discutiendo a la vez, menos GUZMÁN, que sigue abstraído mirando a CÉSAR.) ¿Usted? (A GUZMÁN.)

GUZMÁN (sobresaltado): Gracias.

VII   (ESTRELLA y SALINAS quedan sentados en el sofá de tule; GARZA y TREVIÑO en los sillones de tule, 15 a los lados. GUZMÁN, al ser interpelado por CÉSAR, va a sentarse en el sofá, de modo que ESTRELLA queda al centro. ELENA y JULIA se han sentado en el otro extremo, mirando al grupo. MIGUEL, para ver la cara de su padre, que ha quedado de espaldas 20 al público, se sitúa recargando contra los arcos. CÉSAR, como un acusado, queda de frente al grupo de políticos en primer término derecho. Los diputados miran a GUZMÁN y a ESTRELLA.)

SALINAS: ¿Qué pasó? ¿Quién habla por fin? 25

TREVIÑO: Eso.

ESTRELLA (adelantándose a GUZMÁN): Señores ... (Se limpia la garganta.) El señor Presidente de la República y el Partido Revolucionario de la Nación me han dado instrucciones para que investigue las revelaciones del profesor Bolton y 30 establezca la identidad de su informe. ¿Qué tiene usted que decir, señor Rubio? Debo pedirle que no se equivoque sobre nuestras intenciones, que son cordiales.

CÉSAR (pausado, sintiendo como una quemadura la mirada fija de MIGUEL): Todos ustedes son muy jóvenes, señores ... 35 pertenecen a la revolución de hoy. No puedo esperar, por lo tanto, que me reconozcan. He dicho ya que soy César Rubio. ¿Es todo lo que desean saber?

52   II

SALINAS (*a* ESTRELLA): Mi padre conoció al general César Rubio
... pero murió.

TREVIÑO: También mi tío ... sirvió a sus órdenes; me hablaba de
él. Murió.

5 GARZA: Sin embargo, quedan por ahí viejos que podrían reconocerlo.

ESTRELLA: Esto no nos lleva a ninguna parte, compañeros. (*A*
CÉSAR.) Mi comisión consiste en averiguar si es usted el
general César Rubio, y si tiene papeles con que probarlo.

CÉSAR (*alerta, consciente de la silenciosa observación de* GUZ-
10 MÁN): Si han leído ustedes los periódicos—y me figuro
que sí—sabrán que entregué esos documentos al profesor
Bolton.

ESTRELLA: Mire, mi general ... hm ... señor Rubio, este asunto tiene
una gran importancia. Es necesario que hable usted ya.

15 CÉSAR (*casi acorralado*): Nunca pensé en resucitar el pasado,
señores.

MIGUEL (*avanza dos pasos quedando en línea diagonal frente a su
padre*): Es preciso que hables, papá.

CÉSAR (*tratando de vencer su abatimiento*): ¿Para qué?

20 ESTRELLA: Usted comprende que esta revelación está destinada a
tener un peso singular sobre los destinos políticos de
México. Todo lo que le pido, en nombre del señor Presidente, en nombre del Partido y en nombre de la patria, es
un documento. Le repito que nuestras intenciones son
25 cordiales. Una prueba.

CÉSAR (*alzando la cabeza*): Hay cosas que no necesitan de pruebas,
señor. ¿Qué objeto persiguen ustedes al investigar mi vida?
¿Por qué no me dejan en mi retiro?

ESTRELLA: Porque si es usted el general César Rubio, no se per-
30 tenece, pertenece a la revolución, a una patria que ha sido
siempre amorosa madre de los héroes.

SALINAS: Un momento. Antes de decir discursos, compañero
Estrella, queremos que se identifique.

35 (*Simultáneamente*) {GARZA: Que se identifique ...
                        {TREVIÑO: Eso es todo lo que pedimos.

MIGUEL: Papá. (*Da un paso más al frente.*)

CÉSAR: Es curioso que quienes necesitan de pruebas materiales sean
precisamente mis paisanos, los diputados locales ... (*Mirada*

II   53

a MIGUEL) ... y mi hijo. (MIGUEL *retrocede un paso, bajando la cabeza.*) ¿Por qué no me dejan tan muerto como estaba?

ESTRELLA (*decidido*): Comprendo muy bien su actitud, mi general, y yo que represento al Partido Revolucionario de la Nación no necesito de esas pruebas. Estoy seguro de que tampoco el señor Presidente las necesita, y bastará ...

SALINAS (*levantándose*): Nosotros sí.

ESTRELLA: Permítame. Es el pueblo, son los periodistas, que no tardarán en llegar aquí (CÉSAR y ELENA *cambian una mirada*); son los burócratas de la Secretaría de Guerra, que tampoco tardarán. ¿Por qué no nos da usted esa pequeña prueba a nosotros y nos tiene confianza, para que nosotros respondamos de usted ante el pueblo?

CÉSAR: El pueblo sería el único que no necesitara pruebas. Tiene su instinto y le basta. Me rehuso a identificarme ante ustedes.

MIGUEL: Pero ¿por qué, papá?

GARZA: No es necesario que se ofenda usted, general. Venimos en son de paz. Si pedimos pruebas es por su propia conveniencia.

SALINAS: Lo más práctico es traer algunos viejos del pueblo. Yo voy en el carro.

TREVIÑO: Pedimos una prueba como acto de confianza.

ESTRELLA: Yo encuentro que el general tiene razón. (*A* CÉSAR.) Ya ve usted que yo no le he apeado el título que le pertenece. (*A los demás.*) Pero si él supiera para qué hemos venido aquí, comprendería nuestra insistencia.

CÉSAR (*mirando alternativamente a* MIGUEL *y a* ELENA): ¿Con qué objeto han venido ustedes, pues?

ESTRELLA: Allí está la cosa, mi general. Démonos una prueba de mutua confianza.

CÉSAR (*sintiéndose fortalecido*): Empiecen ustedes, entonces.

ESTRELLA (*sonriendo*): Nosotros estamos en mayoría, mi general. En esta época el triunfo es de las mayorías.

SALINAS: La cosa es muy sencilla. Si él se niega a identificarse, ¿a nosotros qué? Sigue muerto para nosotros y ya.

54

II

ESTRELLA: Mi misión y mi interés son más amplios que los de ustedes, compañeros.

TREVIÑO: Allá usted ... y allá las autoridades. Nosotros no tenemos tiempo que perder. Vámonos, muchachos. (*Se levantan.*)

5 GARZA (*levantándose*): Espérate, hombre.

SALINAS (*levantándose*): Yo siempre les dije que era pura ilusión todo.

ESTRELLA (*levantándose*): Las autoridades militares, en efecto, mi general, podrán presionarlo a usted. ¿Por qué insistir en
10 esta actitud? ¿Por qué no nombra usted a alguien que lo conozca, que lo identifique? Es en interés de usted ... y de la nación ... y de su Estado. (*Se vuelve hacia la familia.*) Pero estamos perdiendo el tiempo. Con todo respeto hacia su actitud, mi general ... estoy seguro de que usted tiene
15 razones poderosas para obrar así ... la señora podrá sin duda ...

(ELENA *se levanta.*)

CÉSAR (*con angustiosa energía*): No meta usted a mi mujer en estas cosas.

20 ELENA: Déjame, César. Es necesario. Yo atestiguaré.

CÉSAR: Mi esposa nada sabe de esto. (*A* ELENA.) Cállate.

GUZMÁN (*hablando por primera vez desde que empezó esto*): Un momento. (*Todos se vuelven hacia él, que continúa sentado.*) Dicen que César Rubio era un gran fisonomista ...
25 yo no lo soy; pero recuerdo sus facciones. Era yo muy joven todavía y no lo ví más que una vez; pero para mí, es él. Lo he estado observando todo el tiempo. (*Sensación.*) Tal vez se acuerde de mi padre, que sirvió a sus órdenes. (*Saca un grueso reloj de tipo ferrocarrilero, cuya tapa*
30 *posterior alza; se levanta él mismo, y tiende el reloj a* CÉSAR RUBIO.) ¿Lo conoce usted?

CÉSAR: (*tomando el reloj, pasa al centro de la escena mientras los demás lo rodean con curiosidad. Duda antes de mirar el retrato, se decide, lo mira y sonríe. Alza la cabeza y de-*
35 *vuelve el reloj a* GUZMÁN. *Se mete las manos a los bolsillos y se sienta en el sofá, diciendo*): Gracias.

GUZMÁN: ¿Lo conoce usted? (*Se acerca.*)

II   55

CÉSAR (*lentamente*): Es Isidro Guzmán; lo mataron los huertistas el 13, en Saltillo.

GUZMÁN (*a los otros*): ¿Ven cómo es él?

ESTRELLA: ¿Es usted, entonces, el general César Rubio?

SALINAS: Eso no es prueba. 5

GUZMÁN: ¿Cómo iba a conocer a mi viejo, entonces?

TREVIÑO: No, no; esto no quiere decir nada.

ESTRELLA: Un momento, señores. Mi general ... hm ... señor Rubio: ¿dónde nació usted? Espero que no tenga inconveniente en decirme eso. 10

CÉSAR: En esta misma población, cuando no era más que un principio de aldea.

ESTRELLA: ¿En qué calle?

CÉSAR: Hizo medio siglo precisamente en julio pasado.

ESTRELLA (*sacando un telegrama del bolsillo y pasando la vista* 15 *sobre él*): Gracias, mi general. Ustedes dirán lo que gusten, compañeros; a mí me basta con esto. Los datos coinciden.

GUZMÁN: Y a mí también. Conoció al viejo.

CÉSAR (*sonriendo*): Le decían *la Gallareta*. 20

GUZMÁN (*con entusiasmo*): Es verdad.

CÉSAR (*remachando*): Era valiente.

GUZMÁN (*más entusiasmado*): ¡Ya lo creo! Ése era el viejo ... murió peleando. Valiente de la escuela de usted, mi general.

CÉSAR: ¿De cuál de las dos? (*Risas.*) No ... *la Gallareta* murió 25 por salvar a César Rubio. Cuando los federales dispararon sobre César, que iba adelante a caballo, el coronel Guzmán hizo reparar su montura y se atravesó. Lo mataron, pero se salvó César Rubio.

TREVIÑO: ¿Por qué habla usted de sí mismo como si se tratara de 30 otro?

CÉSAR (*cada vez más dueño de sí*): Porque quizás así es. Han pasado muchos años ... los hombres se transforman. Luego, la costumbre de la cátedra ... (*Se levanta.*) Ahora, ¿están ustedes satisfechos, señores? 35

SALINAS: Pues ... no del todo.

GARZA: Algo nos falta por ver.

CÉSAR: ¿Y qué es?

SALINAS (*mirando a los otros*): Pues papeles, pruebas, pues.

CÉSAR (*después de una pausa*): Estoy seguro de que ahora el profesor Bolton publicará los que le entregué, que eran todos los que tenía. Entonces quedará satisfecha su curiosidad por entero. Pero, hasta entonces, sigan considerándome muerto; dejenme acabar mis días en paz. Quería acabar en mi pueblo, pero puedo irme a otra parte.

(*Sensación y protestas entre los políticos. Aun SALINAS y GARZA protestan. La familia toda se ha acercado a CÉSAR. ESTRELLA acaba por hacerse oír, después de un momento de agitar los brazos y abrir una gran boca sin conseguirlo.*)

ESTRELLA: Mi general, si he venido en representación del Partido Revolucionario de la Nación y con una comisión confidencial del señor Presidente, no ha sido por una mera curiosidad, ni únicamente para molestar a usted pidiéndole sus papeles de identificación.

GUZMÁN: Ni yo tampoco. Yo vine como presidente municipal de Allende a discutir otras cuestiones que importan al Estado. Lo mismo los señores diputados.

GARZA: Es verdad.

CÉSAR (*mirando a ELENA*): ¿Qué desean ustedes, entonces?

ELENA (*adelantándose hacia el grupo*): Yo sé lo que desean ... una cosa política. Diles que no, César.

ESTRELLA: El admirable instinto femenino. Tiene usted una esposa muy inteligente, mi general.

SALINAS: Treviño.

TREVIÑO: ¿Qué hubo?

(*SALINAS toma a TREVIÑO por el brazo y lo lleva hacia la puerta, donde hablan ostensiblemente en secreto. GUZMÁN los sigue con la vista moviendo la cabeza.*)

GUZMÁN (*mientras mira hacia SALINAS y TREVIÑO*): La señora le ha dado al clavo, en efecto.

SALINAS (*en voz baja, que no debe ser oída del público, y muy lentamente, mientras habla GUZMÁN*): Vete volando al pueblo en mi carro. (*TREVIÑO mueve la cabeza afirmativamente.*)

(*Es indispensable que los actores pronuncien estas palabras inaudibles para el público. Decirlas efectivamente sugerirá una acción planeada, y evitará una laguna en la progresión del acto, a la vez que ayudará a los actores a mantenerse en carácter mientras estén en la escena.*)

CÉSAR: Gracias. ¿Es eso, entonces, lo que buscaban ustedes?

ESTRELLA: Buscamos algo más que lo meramente político inmediato, mi general. La reaparición de usted es providen ... (*se corrige y se detiene buscando la palabra*) próvida y revolucionaria ... (*Entretanto, al mismo tiempo:*)

SALINAS: ... y tráete a Emeterio Rocha ...

ESTRELLA: ... y extraordinariamente oportuna. Este Estado, como sin duda lo sabe usted, se prepara a llevar a cabo la elección de un nuevo gobernador.

SALINAS (*entretanto*): Él conoció a César Rubio. ¿Entiendes?

TREVIÑO (*mismo juego*): Seguro. Ya veo lo que quieres.

CÉSAR (*a* ESTRELLA): Conozco esa circunstancia ... pero nada tiene que ver conmigo.

SALINAS (*mismo juego, dando una palmada a* TREVIÑO *en el hombro*): ¿De acuerdo? Nada más por las dudas. (TREVIÑO *afirma con la cabeza.*) Váyase, pues.

(TREVIÑO *sale rápidamente después de dirigir una mirada circular a la escena.*)

ESTRELLA: Se equivoca usted, mi general. Al reaparecer, usted se convierte automáticamente en el candidato ideal para el Gobierno de su Estado natal.

ELENA: ¡No, César!

JULIA: ¿Por qué no, mamá? Papá lo merece. (*Lo mira con pasión.*)

CÉSAR: ¿Por qué no, en efecto? (SALINAS *se reúne con el grupo sonriendo.*) Voy a decírselo, señor ... señor ...

ESTRELLA: Rafael Estrella, mi general.

CÉSAR: Voy a decírselo, señor Estrella. (*Involuntariamente en papel, viviendo ya el mito de* CÉSAR RUBIO.) Me alejé para siempre de la política. Prefiero continuar mi vida humilde y oscura de hasta ahora.

ESTRELLA: No tiene usted derecho, mi general, permítame, a privar a la patria de su valiosa colaboración.

GUZMÁN: El Estado está en peligro de caer en el continuismo ... usted puede salvarlo.

CÉSAR: No. César Rubio sirvió para empezar la revolución. Estoy viejo. Ahora toca a otros continuarla. ¿Habla usted oficial-
5 mente, compañero Estrella?

ESTRELLA: Cumplo, al hacer a usted este ofrecimiento, con la comisión que me fué confiada en México por el Partido Revolucionario de la Nación y por el señor Presidente.

GUZMÁN: Yo conozco el sentir del pueblo aquí, mi general. Todos
10 sabemos que Navarro continuaría el mangoneo del gober- nador actual, de acuerdo con él, y no queremos eso. Na- varro tiene malos antecedentes.

ESTRELLA: Conocen la historia de usted, y eso basta. El Partido, como el instituto político encargado de velar por la in-
15 violabilidad de los comicios, ve en la reaparición de usted una oportunidad para que surja en el Estado una noble competencia política por la gubernatura. Sin desconocer las cualidades del precandidato general Navarro, prefiere que el pueblo elija entre dos o más candidatos, para mayor
20 esplendor del ejercicio democrático.

GUZMÁN: La verdad es que tendría usted todos los votos, mi gen- eral.

GARZA: No puede usted rehusar, ¿verdad, compañero Salinas?

SALINAS (sonriendo): Un hombre como César Rubio, que tanto
25 hizo ... que hizo más que nadie por la revolución, no puede rehusar.

CÉSAR (vacilante): En efecto; pero puede rehusar precisamente porque ya hizo. Hay que dejar el sitio a los nuevos, a los revolucionarios de hoy.

30 ELENA: Tienes razón, César. No debes pensar en esto siquiera.

JULIA: ¿Pero no te das cuenta, mamá? ¡Papá gobernador! Debes aceptar, papá.

GUZMÁN: Gobernador ... ¡y quién sabe qué más después! Todo el Norte estaría con él.

35 (CÉSAR da muestra de pensar profundamente en **VIII** el dilema.)

ELENA (que comprende todo): César, óyeme. No dejes que te digan más ... No debes ...

II   59

MIGUEL: ¿Por qué no, mamá? (*Inflexible.*)

ELENA: ¡César!

CÉSAR (*a* GUZMÁN): ¿Por qué ha dicho usted eso? Nunca he pensado en ... César Rubio no hizo la revolución para ese objeto.

GUZMÁN: Yo sí he pensado, mi general. Lo pensé desde que ví la noticia.

ESTRELLA: El señor Presidente de la República me dijo por teléfono: Dígale a César Rubio que siempre lo he admirado como revolucionario, que en su reaparición veo un triunfo para la revolución; que juegue como precandidato y que venga a verme.

CÉSAR (*reacciona un momento*): No ... No puedo aceptar.

GUZMÁN: Tiene usted que hacerlo, mi general.

GARZA: Por el Estado, mi general.

ESTRELLA: Mi general, por la revolución.

SALINAS (*con una sonrisa insistente*): Por lo que yo sé de César Rubio, él aceptaría.

CÉSAR (*contestando directamente*): El señor diputado tiene todavía sus dudas sobre mi personalidad. Lo que no sabe es que a César Rubio nunca lo llevó a la revolución la simple ambición de gobernar. El poder mata siempre el valor personal del hombre. O se es hombre, o se tiene poder. Yo soy hombre.

ESTRELLA: Muy bien, mi general, pero en México sólo gobiernan los hombres.

GUZMÁN: Si tú tienes dudas, Salinas, no estás con nosotros.

SALINAS: Estoy, pero no quiero que nos equivoquemos. Yo siempre he sido del partido que gana, y ustedes también, para ser francos. El general no nos ha dado pruebas hasta ahora ... yo no discuto; su nombre es bueno; pero no quiero que vayamos a quedar mal ... por las dudas ... ustedes me entienden.

ESTRELLA: Compañero Salinas, debo decirle que su actitud no me parece revolucionaria.

CÉSAR: Yo entiendo perfectamente al señor diputado ... y tiene razón. Vale más que nadie quede mal ... que lo dejemos allí.

60

ELENA (*tomando la mano de* CÉSAR *y oprimiéndosela*): Gracias, César.

(*Él sonríe; pero sería difícil decir por qué.*)

GUZMÁN: ¿Ves lo que has hecho? (SALINAS *no responde.*) General, no se preocupe usted. Nosotros respondemos de todo.

ESTRELLA: Mi general, yo estimo que usted no está en libertad de tomar ninguna decisión hasta que haya hablado con el señor Presidente.

CÉSAR (*desamparado, arrastrado al fin por la farsa*): ¿Debo hacerlo? Eso sería tanto como aceptar ...

ELENA: Escríbele, César; dale las gracias, pero no vayas.

ESTRELLA: Señora, los escrúpulos del general lo honran; pero la revolución pasa en primer lugar.

GUZMÁN: General, el Estado se encuentra en situación difícil. Todos sabemos lo que hace el gobernador, conocemos sus enjuagues y no estamos de acuerdo con ellos. No queremos a Navarro; es un hombre sin escrúpulos, sin criterio revolucionario, enemigo del pueblo.

CÉSAR: ¿Y de ustedes?

GUZMÁN: No es sólo eso. Todos los municipios estamos contra ellos; en la última junta de presidentes municipales acordamos pedir la deposición del gobernador, y oponernos a que Navarro gane.

SALINAS: Lo cierto es que el gobernador, igual que Navarro, excluyen a las buenas gentes de la región.

GARZA: Son demasiado ambiciosos; han devorado juntos el presupuesto. Deben sueldos a los empleados, a los maestros, a todo el mundo; pero se han comprado ranchos y casas.

CÉSAR: En otras palabras, ni el actual gobernador ni el general Navarro les brindan a ustedes ninguna ocasión de ... colaborar.

GUZMÁN: ¿Para qué engañarnos? Es la verdad, mi general. Es usted tan inteligente que no podemos negar ...

ESTRELLA: El señor Presidente ve en usted al elemento capaz de apaciguar el descontento, de pacificar la región, de armonizar el gobierno del Estado.

GARZA: Pero los que somos de la misma tierra vemos en usted también al hombre de lucha, al hombre honrado que

II   61

representa el espíritu del Norte. ¿Dónde está el mal si queremos colaborar con usted? Usted no es un ladrón ni un asesino.

CÉSAR: Nunca creyó César Rubio que la revolución debiera hacerse para el Norte o para el Sur, sino para todo el país. 5

ESTRELLA: Razón de más, mi general. Ese criterio colectivo y unitario es el mismo que anima al señor Presidente hacia la colectividad.

ELENA (cerca de CÉSAR): No oigas nada más ya, César. Diles que se vayan ... te lo pido por ... 10

CÉSAR (la hace a un lado. Pausa.): Señores, les agradezco mucho ... pero ustedes mismos, en su entusiasmo, que me conmueve, han olvidado que existe un impedimento insuperable.

ESTRELLA: ¿Qué quiere usted decir, señor? 15

CÉSAR: Los plebiscitos serán dentro de cuatro semanas.

GUZMÁN: Por eso queremos resolver ya las cosas.

GARZA: En seguida.

SALINAS: Por lo menos, aclararlas.

ESTRELLA: Las noticias publicadas en los periódicos sobre la reaparición de usted son la propaganda más efectiva, mi general. 20 No tendrá usted que hacer más que presentarse para ganar los plebiscitos.

CÉSAR: El impedimento de que hablo es de carácter constitucional.

GUZMÁN: No sé a qué se refiera usted, señor general. Nosotros 25 procedemos siempre con apego a la Constitución.

CÉSAR (sonriendo para sí): Con apego a ella, todo candidato debe haber residido cuando menos un año en el Estado. Yo no volví a mi tierra sino hasta hace cuatro semanas. (Esto lo dice con un tono definitivo, casi triunfal. Sin em- 30 bargo, sería difícil precisar qué objeto es el que persigue ahora.)

GUZMÁN: Es verdad, pero ...

SALINAS: Eso yo lo sabía ya, pero esperaba a que el general lo dijera. Su actitud borra todas mis dudas y me convence de que es 35 otro el candidato que debemos buscar.

GARZA (tímidamente): Pero, hombre, yo creo que puede haber una solución.

62

II

ESTRELLA: Debo decir que el partido considera este caso político como un caso de excepción ... de emergencia casi. Lo que interesa es salvar a este Estado de caer en las garras del continuismo y de los reaccionarios. La Constitución local puede admitir la excepción y ser enmendada.

SALINAS: Olvida usted que eso es función de los legisladores, compañero.

ESTRELLA: No sólo no lo olvido, compañero, sino que el partido ha previsto también esa circunstancia y cuenta con la colaboración de ustedes para que la Constitución local sea reformada.

SALINAS: Esto está por ver.

GUZMÁN: Hombre, Salinas ...

ESTRELLA: Creo que no es el lugar ni la ocasión de discutir ...

CÉSAR (*pausadamente*): Existen antecedentes, ¿ o no? La Constitución Federal ha sido enmendada para sancionar la reelección y para ampliar los períodos por razones políticas. En lo que hace a las constituciones locales, el caso es más frecuente.

SALINAS: No en este Estado. Usted, que es del Norte, debe de saberlo.

CÉSAR (*sin alterarse*): Cuando, por ejemplo, un candidato ha estado desempeñando un alto puesto de confianza en el gobierno federal, no ha necesitado residir un año entero en su Estado natal con anterioridad a las elecciones. Le han bastado unas cuantas visitas. Pero ...

ESTRELLA: Naturalmente, mi general. Los gobiernos no pueden regirse por leyes de carácter general sin excepción. Lo que el partido ha hecho antes, lo hará ahora.

CÉSAR: Sólo que yo no estoy en esas condiciones. No fué un alto empleo de confianza en el gobierno federal lo que me alejó de mi Estado, sino una humilde cátedra de historia de la Revolución.

GUZMÁN: Eso a mí me parece más meritorio todavía.

ESTRELLA: Mi general, deje usted al partido encargarse de legalizar la situación. Ha resuelto problemas más difíciles, de modo que, si quiere usted, saldremos esta misma noche para México.

II   63

CÉSAR (*dirigiéndose a* SALINAS): La Legislatura local se opone, ¿verdad?

GARZA: Perdone, general. El compañero Salinas no es la Legislatura. Ni que fuera Luis XIV.

CÉSAR (*a* SALINAS): Conteste usted. 5

SALINAS: Cuando los veo a todos tan entusiasmados y tan llenos de confianza, no sé qué decir. Me opondré en la Cámara si lo creo necesario.

ESTRELLA: Compañero Salinas, ¿no está usted en condiciones muy semejantes a las del general? Involuntariamente, por su- 10 puesto; pero recuerdo su elección... la arregló usted en México.

SALINAS (*vivamente*): No es lo mismo. Estaba yo en una comisión oficial.

ESTRELLA: Pues precisamente eso es lo que ocurre ahora con nuestro 15 general. Ha sido llamado por el señor Presidente, lo cual le confiere un carácter de comisionado.

SALINAS: Bueno, pues, en todo caso me regiré por la opinión de la mayoría.

ESTRELLA: Es usted un buen revolucionario, compañero. Las ma- 20 yorías apreciarán su actitud. (*Le tiende la mano con la más artificial sencillez.*)

ELENA (*angustiada*): He odiado siempre la política, César. No me obligues a... a separarme de ti.

CÉSAR: Señores, mi situación, como ustedes ven, es muy difícil. 25 Ni mi esposa ni yo queremos...

ESTRELLA: Señor general, el conflicto entre la vida pública y la vida privada de un hombre es eterno. Pero un hombre como usted no puede tener vida privada. Éste es el precio de su grandeza, de su heroísmo. 30

CÉSAR: ¿Crees que estoy demasiado viejo para gobernar, Elena? Conoces mis ideas, mis sueños... sabes que podría hacer algo por mi Estado, por mi país... tanto como cualquier mexicano...

GUZMÁN: ¡Oh, mucho más, mi general! 35

CÉSAR: Quizás, en el fondo, he deseado esta oportunidad siempre. Si me la ofrecen ellos libremente, ¿por qué no voy a acep-

64

tar? Soy un hombre honrado. Puedo ser útil. He soñado tanto tiempo con serlo. Si ellos creen ...

ESTRELLA: Mi general, la utilidad de usted en la Revolución, su obra, es conocida de todos. Nadie duda de su capacidad para gobernar, ¿verdad, señores?

GUZMÁN: Por supuesto. Nadie duda de que salvará al Estado.

GARZA: Estamos seguros. Contamos con usted para eso.

ESTRELLA: El partido proveerá a que usted, que ha estado un tanto alejado del medio, cuente en su gobierno con los colaboradores adecuados. ¿No es así, compañero Salinas?

SALINAS: Claro está, compañero Estrella.

CÉSAR: Comprende lo que quiero, Elena. ¿Por qué no? Pero nada haría yo sin ti.

ESTRELLA: El señor Presidente, que es un gran hombre de familia, apreciará esta noble actitud de usted. Pero usted, señora, debe recordar la gloriosa tradición de heroísmo y de sacrificio de la mujer mexicana; inspirarse en las nobles heroínas de la Independencia y en ese tipo más noble aún si cabe, símbolo de la femeninidad mexicana, que es la soldadera.

ELENA (con un ademán casi brusco): Le ruego que no me mezcle usted en sus maniobras.

MIGUEL (apremiante): Hay algo que no dices, mamá. ¿Por qué? ¿Qué cosa es?

JULIA: Mamá, yo comprendo muy bien ... tienes miedo. Pero puedes ayudar a papá ... tal vez yo también pueda. Debemos hacerlo.

MIGUEL: ¿Qué cosa es, mamá?

JULIA: Déjala, no la tortures ahora con esas preguntas. Mamá ...

ELENA: ¡César!

CÉSAR (mirándola de frente y hablando pausadamente): Di lo que tengas que decir. Puedes hacerlo.

ELENA: Tengo miedo por ti, César.

ESTRELLA: Señora, de la vida de mi general cuidaremos todos, pero más que nadie su glorioso destino.

ELENA: ¡César!

CÉSAR (impaciente, pero frío, definitivo): Dilo ya, ¡dilo!

(ELENA se yergue apretando las manos. En el mo-

II   65

mento en que quizá va a gritar la verdad, aparecen en la puerta derecha TREVIÑO *y* EMETERIO ROCHA. ROCHA *es un viejo robusto y sano, de unos sesenta y cinco años. Todos se vuelven hacia ellos.*)

TREVIÑO: ¿Cuál es?

SALINAS: Tú lo conoces, ¿verdad, viejo?

ROCHA (*deteniéndose y mirando en torno*): ¿Cuál dices? ¿Éste? (*Da un paso hacia* CÉSAR.)

CÉSAR (*adelantándose después de un ademán de fuga: todo a una carta*): ¿Ya no me conoces, Emeterio Rocha?

ROCHA (*mirándolo lentamente*): Hace tantos años que ...

GUZMÁN: El general lo conoce.

SALINAS: Pero no se trata de eso.

ROCHA: Creo que no has cambiado nada. Sólo te ha crecido el bigote. Eres el mismo.

SALINAS: ¿Cómo se llama este hombre, viejo?

CÉSAR: Anda, Emeterio, dilo.

ROCHA (*esforzándose por recordar*): Pues, hombre, es curioso. Pero eres el mismo ... pues sí ... el mismo César Rubio.

CÉSAR: ¿Estás seguro de que ése es mi nombre, Emeterio?

ROCHA: No podría darte otro. Claro, César ... César Rubio. Te conozco desde que jugabas a las canicas en la calle Real.

CÉSAR: ¿Estás seguro de reconocerme?

ROCHA (*simplemente, tendiéndole la mano*): ¿Pues no decían que te habían matado, César?

(CÉSAR *le estrecha la mano sonriendo.*)

TREVIÑO: Allí viene una multitud. (*Empiezan a oírse voces cuya proximidad se acentúa gradualmente.*)

GUZMÁN: Es claro. Todo el pueblo se ha enterado ya. Ahora sí, Salinas, se acabaron las dudas.

MIGUEL (*mirando a* CÉSAR): ¿Se acabaron?

SALINAS: Ahora sí. Perdóneme, mi general.

(CÉSAR *le da la mano en silencio. Las voces se precisan. Dicen:* ¡César Rubio! ¡Queremos a César Rubio!)

ESTRELLA: Mi general, diga usted la palabra, diga usted que acepta.

ELENA: César ...

66   II

CÉSAR (*con simple dignidad*): Si ustedes creen que puedo servir de algo, acepto. Acepto agradecido.

      (JULIA *lo besa.* ELENA *lo mira con angustia y le oprime la mano.* MIGUEL *retrocede un paso.*)

5 GUZMÁN (*corre a la puerta derecha, grita hacia afuera*): ¡Viva César Rubio, muchachos! (*Vocerío dentro:* ¡Viva! ¡Viva, hijos! *Las mujeres corren a la ventana; miran hacia afuera.*)

JULIA: Mira, papá, ¡mira! (CÉSAR *se acerca.*) Ese hombre del bigote negro es el que vino a buscarte antes.

10 ESTRELLA (*mirando también*): ¿Lo conoce usted, mi general?

CÉSAR (*después de una pausa*): Es el llamado general Navarro.

ROCHA: Sirvió a tus órdenes en un tiempo. Creo que fué tu ayudante, ¿no? Pero el que nace para ladrón ...

      (CÉSAR *no contesta.*)

15   (*Voces dentro:* ¡César Rubio! ¡César Rubio! ¡César Rubio!)

GUZMÁN (*entrando*): Mi general, aquí fuera, por favor. Quieren verlo.

ESTRELLA (*asomándose y frotándose las manos*): Allí vienen los
20 periodistas también.

      (CÉSAR *se dirige a la puerta.* MIGUEL *le cierra el paso.*)

CÉSAR: ¿Qué quieres? (MIGUEL *no contesta.*) Parece como que tú no lo crees, ¿verdad?

25 MIGUEL: ¿Y tú?

ESTRELLA Y LA MULTITUD: ¡Viva César Rubio! ¡Viva nuestro héroe!

CÉSAR (*con un ademán*): Ésa es mi respuesta. (*Sale.* MIGUEL *va hacia* ELENA *y la toma por la mano, sin hablar. Fuera se*
30 *oyen nuevos vivas.*)

LA VOZ DEL FOTÓGRAFO: ¡Un momento así, mi general! (*Magnesio.*) Ahora una estrechando la mano del licenciado Estrella. ¡Eso es! (*Magnesio.*) Ahora con la familia. (*Vivas.*)

CÉSAR (*asomando*): Ven, Elena; ven, Julia, ¡Miguel! (ELENA *se*
35 *acerca, él rodea su talle con un brazo, la oprime.*) ¡Todo contigo! (*Salen.* JULIA *los sigue. Nuevos vivas adentro.*)

      (MIGUEL *queda solo, dando la espalda a la puerta y a la ventana de la derecha, y baja pensativo al primer término centro. Se vuelve a la puerta desde allí. El ruido es atronador.)*

LA VOZ DE CÉSAR *(dentro)*: ¡Miguel, hijo!

(MIGUEL *se dirige a la izquierda con una violenta reacción de disgusto, mientras afuera continúan las voces y se oyen algunos cohetes o balazos, y cae el*

TELÓN

ACTO TERCERO

ACTO TERCERO

Cuatro semanas después, cerca de las once de la IX
mañana, en la casa del profesor CÉSAR RUBIO. *La*
sala tiene ahora el aspecto de una oficina provi-
sional. Hay un escritorio; una mesa para máquina
de escribir, con su máquina; papeles y libros amon-
tonados. Hay un rollo de carteles en el suelo, junto
a los arcos del comedor. Uno de ellos, desplegado,
muestra la imagen de CÉSAR RUBIO *con la leyenda*
EL CANDIDATO DEL PUEBLO. *En esta improvisación*
y en este desorden se advierte cierta ostentación de
pobreza, una insistencia de CÉSAR RUBIO *en pre-*
sumir de modestia.
Instalado ante el escritorio, ESTRELLA *despacha la*
correspondencia. GUZMÁN, *sentado en un sillón de*
tule, fuma un cigarro de hoja. SALINAS *fuma tam-*
bién, recargando contra la puerta derecha.

ESTRELLA: Un telegrama del señor Presidente, señores. (*Los otros*
vuelven la cabeza hacia él. Lee:) "Deseo que en los plebiscitos de hoy el pueblo premie en usted al héroe de la
Revolución Punto Si no fuera así su colaboración me será
siempre inestimable Punto Ruégole informarme inmediatamente resultado plebiscito Punto Afectuosamente." (*Deja*
el telegrama; actúa.) Éste es un documento histórico único.

III   71

GUZMÁN: Ganaríamos de todos modos, aunque el Presidente no quisiera. No se ha visto un movimiento semejante en el pueblo desde Madero. El general se ha echado a la bolsa a todo el mundo.

ESTRELLA: Es un hombre extraordinario. Sabe escuchar, callar, decir lo estrictamente preciso, y obrar con una energía y una limpieza como no había yo visto nunca. Pero es preferible contar con el apoyo del Centro. ¿No es verdad, compañero Salinas? (SALINAS *mueve la cabeza afirmativamente.*) Al señor Presidente lo conquistó a las cuatro palabras. Y aquí, ya ven.

SALINAS: Nunca en mi vida política ví un entusiasmo semejante. Los plebiscitos están prácticamente ganados; pero yo no estoy tranquilo.

GUZMÁN: Otra vez. Ya le llaman dondequiera el diputado, por las dudas.

ESTRELLA: ¿Qué quiere usted decir?

SALINAS (*abandona su posición y entra cruzando hacia el primer término centro*): Quiero decir que corren rumores muy feos. En todo caso, Navarro no es hombre para quedarse así no más. Hay que tener mucho cuidado, y sería bueno que el general se armara, por las dudas.

GUZMÁN: ¿No te digo? Primero lo convencerías de renunciar que de portar pistola, hombre. No es como nosotros. Además, yo tengo establecida una vigilancia muy completa. No pasará nada.

SALINAS: Ojalá. Estoy convencido ya de que el general es un gran hombre—el más grande de todos—y debe llevarnos adonde necesitamos ir. Es preciso que no pase nada, Epigmenio.

GUZMÁN: ¡Qué va a pasar, hombre!

ESTRELLA (*levantándose*): El compañero Salinas tiene lo que llaman los franceses una *idée fixe.* (*Lo miran.*) Quiere decir idea fija. Me gustaría que se explicara. Los plebiscitos deben empezar a las once y media... (*Ojeada al reloj pulsera.*) Tenemos el tiempo de llegar apenas. Explíquese, compañero.

SALINAS: Hombre, en primer lugar, Navarro ha dicho por ahí que

72   III

el general no ganará mientras él viva. (GUZMÁN emite un sonido de burla.) ... y luego ... (Se detiene.)

GUZMÁN: ¿Qué pues? Hable ya.

SALINAS: Ha dicho que él tiene medios de ... probar que el general
5   es un impostor, ¡vaya! (Se enjuga la frente. GUZMÁN ríe a carcajadas.)

ESTRELLA: Creo que tendré que hablar unas palabras con el general Navarro, en nombre del partido.

GUZMÁN: Ése te ganó, Salinas.

10 SALINAS: Basta que Navarro lo diga para que nadie lo crea. De todos modos, hay que ponerse muy águilas.

ESTRELLA: ¿Quieren que les diga mi opinión muy franca, señores?

GUZMÁN: A ver.

ESTRELLA: Si el general Navarro viera un poco más de cerca al
15   general Rubio, le pasaría lo que a todos los demás, lo mismo que a usted, Salinas.

SALINAS: ¿Qué?

ESTRELLA: Se volvería rubista. (Los otros ríen.) Hablo en serio. El general Rubio tiene un magnetismo inexplicable. Yo sé,
20   por ejemplo, que el presidente del partido es un hombre difícil. Bueno, pues en media hora de plática, parecía como que se había enamorado de él. (GUZMÁN ríe satisfecho.)

SALINAS: ¿Y Garza? ¿No debía venir a las diez y media?

GUZMÁN: Garza está allá, acabando de arreglar todo lo necesario.
25   Allá lo veremos.

SALINAS: ¿Y Treviño?

ESTRELLA: Tiene que ayudar a Garza.

SALINAS: Pero ya debían estar aquí, ¿no?

GUZMÁN: ¡Qué nervioso estás! Ni que fueras el candidato.

30 ESTRELLA: Así les pasa en las bodas a las damas de la novia. Se anticipan.

SALINAS: Digan lo que quieran. Yo no estaré tranquilo hasta ver al general en el palacio de gobierno. Por las dudas.

GUZMÁN: Cállate. Ahí viene.

35   (Se oyen los pasos de CÉSAR en la escalera. Los tres hombres se reúnen para saludarlo. Entra CÉSAR RUBIO. En estas cuantas semanas se ha operado en

III   73

él una transfiguración impresionante. Las agita-
ciones, los excesos de control nervioso, la fiebre de
la ambición, la lucha contra el miedo, han dado a
su rostro una nobleza serena y a su mirada una
limpidez, una seguridad casi increíble. Está pálido, 5
un poco afilado, pero revestido de esa dignidad
peculiar en el mestizo de categoría. A pesar del
calor, viste un pantalón y un saco de casimir os-
curo; una camisa blanca y fina y una corbata azul
marino de algodón. Lleva en la mano un sombrero 10
de los llamados tejanos, blanco, "cinco equis," que
ostenta el águila de general de división. Éste sería
el único lujo de su nueva personalidad, si no se
considerara en primer lugar la minuciosa limpieza
de su persona como un lujo mayor aún.) 15

CÉSAR: Buenos días, muchachos.

TODOS: Buenos días, mi general.

ESTRELLA: ¿Cómo se siente el señor gobernador?

CÉSAR: ¿Para qué anticipar las cosas, Estrella? Nada pierde uno con
esperar. 20

GUZMÁN: Eso es pan comido, señor.

ESTRELLA: Vea usted este telegrama del señor Presidente, mi general, por si le quedan dudas.

CÉSAR (*después de pasar la vista por el telegrama*): Ninguna duda,
Estrella. No puede haberla donde sabe uno que las cosas 25
simplemente son o no son. (*Deja el sombrero sobre el
escritorio y aparta los telegramas con una mano, sin fijarse
mucho en ellos.*) Lo bueno de la carrera del político ... ¿No
hay telegrama del profesor Bolton?

ESTRELLA: Envía su felicitación, mi general; pero no puede venir. 30
Ofrece estar presente en la toma de posesión.

CÉSAR (*sencillamente*): Me hubiera gustado verlo aquí hoy. (*Pasea
de un extremo a otro, lentamente.*) Lo bueno de la carrera
del político es que lo pone a uno en contacto con las raíces
de las cosas, con los hechos, con la acción. La política es una 35
especie de filología de la vida que lo concatena todo. Pero
lo que yo prefiero es este vivir frente a frente con el tiempo,
sin escapatoria ... este ir de la mano con el tiempo sin perder

ya un segundo de él. (*Se detiene, levanta el cartel y lo mira.*
Luego busca dónde colgarlo mientras sigue hablando. Guzmán *y* Salinas *se precipitan, toman el cartel y lo penden*
sobre uno de los arcos. César, *mirándose en su imagen,*
continúa.) Va uno al fondo de las pasiones humanas sin
perder su tiempo, y conoce uno el precio de todo a primera
vista ... y lo paga uno. La política lo relaciona a uno con
todas las cosas originales, con todos los sistemas del movimiento, empezando por el de las estrellas. Se sabe la causa
y el objeto de todo; pero se sabe a la vez que no puede uno
revelarlos. Se conoce el precio del hombre. Y así el gran
político viene a ser el latido, el corazón de las cosas.

Estrella (*que es el único que ha entendido un poco*): La política
es superior a todo lo demás, en efecto, mi general. Es un
ejercicio de todo el cuerpo y de todo el espíritu.

César (*dejando pasar la interrupción*): El político es el eje de la
rueda; cuando se rompe o se corrompe, la rueda, que es el
pueblo, se hace pedazos; él separa todo lo que no serviría
junto, liga todo lo que no podría existir separado. Al principio, este movimiento del pueblo que gira en torno a uno
produce una sensación de vacío y de muerte; después
descubre uno su función en ese movimiento, el ritmo de la
rueda que no serviría sin eje, sin uno. Y se siente la única
paz del poder, que es moverse y hacer mover a los demás
a tiempo con el tiempo. ¿Es parecido a mí este retrato?

Guzmán: Ya lo creo que es parecido. El otro día, viendo un cartel,
me decía uno de los viejos del pueblo, que lo conoció a
usted cuando empezaba en la Revolución: César no cambia;
está igual que cuando le barrieron a la gente en Hidalgo,
hace treinta años.

Estrella: El heroísmo es una especie de juventud eterna, mi
general.

César: Es verdad. Este retrato se parece más al César Rubio de
principios de la Revolución que a mí. Y sin embargo, soy
yo. (*Sonríe.*) Es curioso. ¿Quién lo hizo?

Salinas: Un grabador viejo de aquí del pueblo.

César: El pueblo entiende muchas cosas. (*Sonríe, piensa un mo-*
mento y abre la boca como si fuera a decir algo más sobre

esto. Se reprime, se pone las manos a la espalda y da algunos pasos al frente.) ¿Corrigió usted su discurso, Estrella?

ESTRELLA: Está listo, mi general.

CÉSAR: ¿En la forma que habíamos convenido ... acerca de mi re- 5 surrección?

ESTRELLA: Sí, mi general. (*Declama.*) "Sólo los pueblos nobles que han sufrido pueden esperar acontecimientos así de ... "

CÉSAR (*interrumpiéndolo*): Permítamelo. (ESTRELLA *se lo tiende.*) ¿Hay gente afuera? 10

GUZMÁN: Veinte o treinta.

CÉSAR: Diles que me vean en el plebiscito, Salinas. (SALINAS *sale. Mientras, lee y pasea. Termina de leer y devuelve su discurso a* ESTRELLA.) Muy bien, licenciado. (*Ojeada a su reloj de bolsillo.*) 15

ESTRELLA: Gracias, mi general.

SALINAS (*volviendo*): Señor, creo que ya es hora de irnos.

CÉSAR: ¿Se fué la gente?

SALINAS: No; todos quieren escoltarlo a usted hasta el pueblo. (CÉSAR *sonríe.*) Los carros están ya listos. 20

CÉSAR: Ya nos vamos. Nada más voy a despedirme de mi esposa. (*Se dirige hacia la puerta izquierda. En ese momento entra* TREVIÑO, *sin aliento.*)

TREVIÑO: Mi general ...

CÉSAR (*casi en la puerta, se vuelve*): ¿Qué pasó? 25 (*Los otros se agrupan.*)

TREVIÑO: Mi general, ahí viene Navarro. Viene a verlo a usted.

CÉSAR (*un paso adelante*): ¿Navarro?

GUZMÁN: ¡Es el colmo del descaro! ¿Qué quiere aquí?

ESTRELLA: Me lo figuro. Ha de venir a buscar una componenda, 30 porque el presidente del partido lo mandó regañar.

SALINAS: No me fío.

GUZMÁN: ¿Qué hacemos, mi general?

CÉSAR: Déjenlo venir. Yo voy a despedirme de mi esposa. Que me espere aquí. 35

TREVIÑO: Pero probablemente quiere una entrevista privada.

CÉSAR (*con una sonrisa*): Seguramente.

ESTRELLA: ¿Se la concederá usted?

76   III

CÉSAR: ¿Por qué no?

SALINAS: Mi general, por favor ... (Saca su pistola y se la ofrece.)

CÉSAR (riendo): No, hombre. Así me daría miedo.

SALINAS (suplicante): Mi general ...

5 CÉSAR (dándole una palmada): Guárdate eso. No seas tonto, hijo.

GUZMÁN: No le hace, mi general; nosotros estamos armados.

CÉSAR (severamente): Mucho cuidado, Epigmenio. Navarro viene aquí como parlamentario. No vayan a hacer ninguna tontería. Trátenlo con discreción, con buenos modos, igual 10 que a los que vengan con él. (Gestos de descontento.) Quiero que se me obedezca, ¿entendido? (Regresa hacia el escritorio, para tomar su sombrero.)

GUZMÁN: Está bueno, pues, mi general. (CÉSAR sale por la izquierda.)

15 ESTRELLA (sonriendo y alzando los brazos): Ésos son pantalones, señores.

GUZMÁN: Es igual. Ojalá se me disparara sola ésta (señala su pistola), cuando esté aquí Navarro ...

SALINAS: ¿Con quién viene, tú?

20 TREVIÑO: No puedo ver bien; pero creo que con Salas y León.

GUZMÁN: Sus pistoleros, seguro. Se me hace que aquí va a pasar algo.

ESTRELLA: Nada. Apuesto cualquier cosa a que viene a decir que se retira del plebiscito y que quiere una chamba.

25 SALINAS (riendo): ¡Muy fácil! Usted todavía no conoce bien a los norteños, licenciado. (Va hacia la puerta.)

ESTRELLA: Eso le daría mejor resultado; podría enderezarlo con el partido.

GUZMÁN: Pues no hay más que abrir bien los ojos.

30 SALINAS (desde la puerta): Allí están. (Entra.)

(Sin decir palabra, GUZMÁN, TREVIÑO y SALINAS   X revisan sus pistolas; se cercioran de que salen con facilidad del cinturón, y esperan alineados, mirando a la puerta.)

35 ESTRELLA (mientras habla se desliza insensiblemente detrás de ellos): Todo eso son precauciones inútiles, señores. Además, se ponen ustedes en plan de ataque, a pesar de las órdenes del general.

III   77

GUZMÁN (*apretando los dientes. Sin volverse*): ¿Qué sabemos cómo vienen éstos ... ?

SALINAS (*sin volverse*): Es no más por las dudas.

TREVIÑO (*mismo juego*): A ver si no pasa aquí lo que no ha pasado en tanto tiempo. 5

GUZMÁN (*sin volverse. Con una risita*): Yo siempre le he tenido ganas a Navarro.

ESTRELLA (*cerciorándose de que está bien protegido, mientras mira con inquietud hacia la puerta*): ¡Prudencia! ¡Prudencia! Hay que cumplir las órdenes del general, señores ... 10

> (*Todos están mirando a la puerta con una intensidad que, después de un momento, afloja. TREVIÑO es el primero que se sienta sin hablar.*)

GUZMÁN (*enjugándose la frente y dirigiéndose hacia el sofá*): ¡Bah! Que lleguen cuando gusten. 15

SALINAS (*torciendo un cigarro y abandonando su guardia*): ¡Qué pronto se cansan ustedes!

ESTRELLA (*volviendo al escritorio*): En realidad, es mejor así.

> (*En este momento, como si hubiera estado esperando esta nueva actitud, entra NAVARRO flanque-* 20 *ado por sus dos pistoleros. Es EL DESCONOCIDO del segundo acto.*)

NAVARRO: ¿Qué hay, muchachos? (*Sobresalto general. Todos se levantan y agrupan.*) No se espanten, hombre. (*Cruza al centro.*) ¿Dónde está el maestrito ese? (*Riendo.*) No me 25 esperaban, ¿eh?

ESTRELLA (*un poco tembloroso, pero impecable*): El señor general Rubio está enterado de la visita de usted y le ruega que tenga la bondad de esperar.

> (*Los hombres de NAVARRO se burlan un poco de* 30 *esta fórmula.*)

NAVARRO (*mordiéndose los labios*): ¡Ah, vaya! (*Se vuelve hacia sus pistoleros.*) Pues haremos antesala, muchachos. ¿Qué les parece?

SALAS: Como en la Presidencia, jefe. (*Ríe.*) 35

LEÓN (*con un movimiento amenazador*): Lo que es nosotros, no lo haremos esperar a él.

78   III

GUZMÁN (*adelantando un paso hacia él*): ¿Con qué sentido lo dices?

LEÓN (*imitándolo*): Con el que tú quieras, Epigmenio. Con éste. (*Hace ademán de desenfundar.*)

5 ESTRELLA: ¡Señores! ¡Señores!

NAVARRO: ¡Quieto, León! (EPIGMENIO GUZMÁN y LEÓN *retroceden hacia ángulos opuestos mirándose con ferocidad de matones. A* ESTRELLA.) Usted es el representante del partido, ¿no? Dígale a Rubio que quiero hablarle a solas.

10 ESTRELLA: El señor general Rubio sabe que quiere usted hablarle a solas. Así será.

NAVARRO (*mordiéndose los labios*): No puede negar que es maestro, lo sabe todo. ¿Entonces qué esperan ustedes para salir?

15 SALINAS: Si crees que vamos a dejar aquí solos con él a tres matones con pistolas.

NAVARRO (*amenazador*): Mira, Salinas ... (*Transición. Ríe.*) Yo no vengo armado. (*Abre ligeramente su saco para probarlo.*)

20 GUZMÁN: Pero éstos sí.

NAVARRO: Salas, dale tu pistola a León.

SALAS: Pero, oye ...

NAVARRO (*con mando brutal*): Dale tu pistola a León. (*Salas lo obedece a regañadientes.*) León, espéranos en el coche.

25 Salas se reunirá contigo dentro de un momento y me esperarán juntos. (LÉON *sale después de mirar hacia los otros y escupir.*) Ahora, güeritos, lárguense ustedes también. (*Los otros dudan.*)

ESTRELLA: Son las órdenes del general, señores.

30 GUZMÁN (*a* TREVIÑO): Vente ... vamos a cuidarle las manos al León de circo ese.

SALINAS: El general dijo que lo esperara Navarro *solo*.

ESTRELLA: Yo voy a subir; bajaré con el general. No hay cuidado.

NAVARRO: Me gusta la conversación. Salas se queda conmigo hasta

35 que baje el maestrito. (GUZMÁN y TREVIÑO *salen.* SALINAS *los imita moviendo la cabeza. Todavía en la puerta derecha*

se vuelve con desconfianza. ESTRELLA *sale por la izquierda. Se le oye subir la escalera.*)

NAVARRO (*en voz alta*): ¡Qué miedo tienen éstos! Te aseguro que nos van a espiar.

SALAS: También yo no sé para qué quieres hablar con Rubio. 5

NAVARRO: Dicen que es muy buen conversador. (*Ríe.*) Dame un cigarro de papel, ¿tienes? (*Salas se acerca a dárselo.*) Lumbre. (SALAS *enciende un cerillo y se acerca más para encender el cigarro. De este modo quedan los dos en primer término centro, casi fuera del arco del proscenio.*) ¿Está 10 todo arreglado?

SALAS: Todo, jefe.

(SALINAS *asoma brevemente la cabeza.* NAVARRO *lo ve, ríe;* SALINAS *desaparece.*)

NAVARRO: Ya sabes, entonces: si no hay arreglo, te vas volando en 15 el carro chico y preparas el numerito.

SALAS: ¿Cómo voy a saber?

NAVARRO (*después de pausa. Ríe*): Yo no puedo salir para hacerte la seña; pero como las gentes de éste van a estar pendientes, me arreglaré para que entre Salinas. Cuando lo veas entrar, 20 vuelas.

SALAS: Bueno.

NAVARRO: Nada más que háganlo todo bien. Apenas suceda la cosa, deshagan a balazos al loco ese. Recuerda bien lo del crucifijo y los escapularios. 25

SALAS: Eso ya está listo. Entonces Salinas es la señal.

NAVARRO: Sí, cuando entre. Si no entra, me esperas con León.

SALAS: Bueno.

NAVARRO: Vete ya. (*Ríe.*) No vayan a creer que estamos conspirando. 30

(*Salas sale por la derecha.* NAVARRO *dirige una mirada circular a la pieza y una sonrisa burlona aparece en sus labios cuando mira el cartel. Se acerca a él sonriendo, se detiene, alza la mano y da un papirotazo al retrato. Se oyen pasos en la* 35 *escalera.* NAVARRO *se vuelve y aguarda. Un momento después aparecen* CÉSAR RUBIO *y* ESTRELLA *por la izquierda. Los dos antagonistas se encuen-*

80

III

*tran al centro frente a frente. Se miden con burla
silenciosa. César es el primero que habla.*)

César: ¿Qué hay, Navarro?

Navarro: ¿Qué hay, César?

5 César: Déjenos solos, licenciado. Nos vamos dentro de unos
minutos. (Navarro *ríe entre dientes.* Estrella *sale después de verlos. Cuando quedan solos habla* César.) ¿No
te sientas?

Navarro: ¿Por qué no?

10   (*Se dirige al sofá de tule.* César *lo sigue. Se
sientan.*)

César: ¿De qué se trata, pues?

Navarro: Perdóname, no me deja hablar la risa.

César (*altivamente*): ¿Cómo?

15 Navarro: Te viene grande la figura de César Rubio, hombre. No
sé cómo has tenido el descaro... el valor de meterte en esta
farsa.

César: ¿Qué quieres decir?

Navarro: Te llamas César y te apellidas Rubio, pero eso es todo
20   lo que tienes del general. No te acuerdas de que te conocí
desde niño.

César: Hasta los viejos del pueblo me han reconocido.

Navarro: Claro. Se acuerdan de tu cara, y cuando quieren nombrarte no tienen más remedio que decir César Rubio. ¡Bah!
25   Ahorremos palabras. A mí no me engañas.

César (*con desprecio*): ¿Es eso todo lo que tienes que decirme?

Navarro: También quiero decirte que no seas tonto, que te retires
de esto. (César *no contesta.*) Te puedes arrepentir muy
tarde. (*Silencio de* César.) Tú no conoces la política,
30   César. Esto no es la Universidad de México. Aquí rompemos algo más que vidrios y quemamos algo más que
cohetes.

César: ¿Qué te propones?

Navarro: Te voy a denunciar en los plebiscitos. Cuando vean que
35   no eres más que un farsante, que estás copiando los gestos
de un muerto...

César: ¡Imbécil! No puedes luchar contra una creencia general.
Para todo el Norte soy César Rubio. Mira ese retrato, por

III   81

ejemplo. Se parece a mí y se parece al otro, fíjate bien. ¿No recuerdas?

Navarro: Te denunciaré de todas maneras.

César: ¿Por qué no te atreves a mirar el retrato? Anda y denúnciame. Anda y cuéntale al indio que la Virgen de Guadalupe es una invención de la política española. Verás qué te dice. Soy el único César Rubio porque la gente lo quiere, lo cree así.

Navarro: Eres un impostor barato. Se te ha ocurrido lo más absurdo. Aquí podías presumir de sabio sin que nadie te tapara el gallo, ¡y te pones a presumir de general!

César: Igual que tú.

Navarro: ¿Qué dices?

César: Digo: igual que tú. Eres tan poco general como yo o como cualquiera. (Miguel *entra apenas en este momento sin que se le haya sentido bajar. Al oír las voces se detiene, retrocede y desaparece sin ser visto, pero desde este momento asomará incidentalmente la cabeza varias veces.*) ¿De dónde eres general tú? César Rubio te hizo teniente porque sabías robar caballos; pero eso es todo. El viejo caudillo, ya sabes cuál, te hizo divisionario porque ayudaste a matar a todos los católicos que aprehendían. No sólo eso ... le conseguiste mujeres. Ésa es tu hoja de servicios.

Navarro (*pálido de rabia*): Te estás metiendo con cosas que ...

César: ¿No es cierto? Todas las noches te tomabas una botella entera de coñac para poder matar personalmente a los detenidos en la inspección. Y si nada más hubiera sido coñac ...

Navarro: ¡Ten cuidado!

César: ¿De qué? Puede que yo no sea el gran César Rubio. Pero ¿quién eres tú? ¿Quién es cada uno en México? Dondequiera encuentras impostores, impersonadores, simuladores; asesinos disfrazados de héroes, burgueses disfrazados de líderes; ladrones disfrazados de diputados, ministros disfrazados de sabios, caciques disfrazados de demócratas, charlatanes disfrazados de licenciados, demagogos disfrazados de hombres. ¿Quién les pide cuentas? Todos son unos gesticuladores hipócritas.

NAVARRO: Ninguno ha robado, como tú, la personalidad de otro.

CÉSAR: ¿No? Todos usan ideas que no son suyas; todos son como las botellas que se usan en el teatro: con etiqueta de coñac, y rellenas de limonada; otros son rábanos o guayabas: un color por fuera y otro por dentro. Es una cosa del país. Está en toda la historia, que tú no conoces. Pero tú, mírate, tú. Has conocido de cerca a los caudillos de todos los partidos, porque los has servido a todos por la misma razón. Los más puros de entre ellos han necesitado siempre de tus manos para cometer sus crímenes, de tu conciencia para recoger sus remordimientos, como un basurero. En vez de aplastarte con el pie, te han dado honores y dinero porque conocías sus secretos y ejecutabas sus bajezas.

NAVARRO (con furia): No se trata de mí, sino de ti, un maestrillo mediocre, un fracasado que nada pudo hacer por sí mismo ...ni siquiera matar, y que sólo puede vivir tomando la figura de un muerto. Ése es un gesto superior a todos. De ti, a quien voy a denunciar hoy y a poner en ridículo aunque sea el último acto de mi vida. ¡Estás a tiempo de retroceder, César! Hazlo, déjame el campo libre, no me provoques.

CÉSAR: ¿Y quién eres tú para que yo te tema? No soy César Rubio. (La cara angustiada de MIGUEL aparece un momento.) Pero sé que puedo serlo, hacer lo que él quería. Sé que puedo hacer bien a mi país impidiendo que lo gobiernen los ladrones y los asesinos como tú ... que tengo en un solo día más ideas de gobierno que tú en toda tu vida. Tú y los tuyos están probados ya y no sirven ... están podridos; no sirven para nada más que para fomentar la vergüenza y la hipocresía de México. No creas que me das miedo. Empecé mintiendo, pero me he vuelto verdadero, sin saber cómo, y ahora soy cierto. Ahora conozco mi destino: sé que debo completar el destino de César Rubio.

NAVARRO (levantándose): Allá tú; pero no te quejes luego, porque hoy todo el pueblo, todo el Estado, todo el país, van a saber quién eres.

CÉSAR (levantándose): Denúnciame, eso es. No podrías escoger un camino más seguro para destruirte tú solo.

III   83

NAVARRO: ¿Qué quieres decir?

CÉSAR: ¿Te interesa, eh? Dime una cosa: ¿cómo vas a probar que yo no soy el general César Rubio?

        (MIGUEL *asoma y oculta la cabeza entre las manos.*)   5

NAVARRO: Ya lo verás.

CÉSAR: Me interesa demasiado para esperar. A mi vez, debo advertirte de paso que nadie creerá palabra de lo que tú digas. Estás demasiado tarado, te odian demasiado. ¿Cómo vas a probar que César Rubio murió en 1914?   10

NAVARRO: De modo irrefutable.

CÉSAR: Es lo que yo creía. Puedes irte y probarlo. Es posible que acabes conmigo; pero acabarás contigo también.

NAVARRO: Explícate.

CÉSAR: ¿Para qué? ¿No estás tan seguro de ti ... ?   15

NAVARRO: Estoy tan seguro, que sé que te destruiré hoy.

CÉSAR: ¿Sí? (*Toma aliento.*) ¿Dices que vas a probar de modo irrefutable la muerte de César Rubio?

NAVARRO: Sí.

CÉSAR (*sentándose*): Si supieras historia, sabrías que es difícil eso.   20

NAVARRO: Lo probaré.

CÉSAR: Sólo podrías hacerlo si hubieras sido testigo presencial de ella.

NAVARRO: Lo fuí.

CÉSAR: ¿Por qué no lo salvaste, entonces?   25

NAVARRO: No fué posible ... eran demasiados contra nosotros.

CÉSAR: Ése fué el parte oficial que inventaron. Mientes.

NAVARRO: En la balacera ...

CÉSAR: No hubo balacera.

NAVARRO: ¿Qué?   30

CÉSAR: No hubo más que un asesino. Fué la primera vez en su carrera que se tomó una botella entera de coñac para que no le temblara el pulso.

NAVARRO: ¡No es verdad! ¡No es verdad!

CÉSAR: ¿Por qué niegas antes de que yo lo diga?   35

NAVARRO (*tembloroso*): No he negado.

CÉSAR: Te tranquilizaste demasiado pronto cuando me viste. el día que vino todo el pueblo. Hace cuatro semanas. Pero cuando

84

yo salía, parecía que ibas a desmayarte. Habías tenido
dudas, remordimientos, miedo ...
NAVARRO: ¿Yo? ¿Por qué había de ... ? Eres un imbécil. No sabes
lo que dices.
5 CÉSAR (*levantándose con una terrible grandeza*): Tú dejaste ciego
de un tiro al asistente Canales. ¿Lo recuerdas?
NAVARRO: ¡Mentira!
CÉSAR: Tú mataste al capitán Solís, a quien siempre envidiaste
porque César Rubio lo prefería.
10 NAVARRO: ¡Te digo que mientes!
CÉSAR (*imponente*): ¡Tú mataste a César Rubio!
NAVARRO: ¡No!
CÉSAR: Hubieras debido matar a Canales, o cortarle la lengua. Está
vivo y yo sé dónde está. Por este crimen te hicieron coronel.
15 NAVARRO: ¡Es una calumnia estúpida! Si tan seguro estás de eso,
¿por qué no se lo contaste a tu gringo?
CÉSAR: Porque creía yo entonces que iba a necesitarte. No te necesito. Ve y denúnciame. Yo daré las pruebas, todas las
pruebas de que dices la verdad ... no puedo hacer más por
20 un antiguo amigo. (NAVARRO *se deja caer abatido en un
sillón.* CÉSAR *lo mira y continúa.*) ¿Te creías muy fuerte?
¿Qué dijiste? Dijiste: este maestrillo de escuela es un pobre
diablo que quiere mordida. Le daré un susto primero y un
hueso después. Porque no lo niegues, me lo ha dicho quien
25 lo sabe: venías a ofrecerme la universidad regional. Yo
siento no poder ofrecértela a ti, que no sabes ni escribir ni
sumar. Ahora vamos a los plebiscitos, pase lo que pase.
NAVARRO (*reaccionando*): Bueno, si tú me denuncias te pierdes
igualmente.
30 CÉSAR: Así no me importa. Pero tú callarás. Mi crimen es demasiado modesto junto al tuyo, y soy generoso. Te doy veinticuatro horas para que te vayas del país, ¿entiendes? Tienes
dinero suficiente. Has robado bastante.
NAVARRO: No me iré. Prefiero ...
35 CÉSAR: Si no lo haces, probaré que me asesinaste, y probaré también que me salvé. Puedo hacerlo; no creas que no he
pensado en esta entrevista, en esta contingencia. Te he
esperado todos los días desde hace una semana, y he tomado

III   85

mis precauciones. (*Mira su reloj.*) Es hora de ir a los plebiscitos.

NAVARRO (*después de una pausa torturada*): Como quieras ... pero te advierto lealmente que yo también he tomado mis precauciones, y que es mejor que no vayas a los plebiscitos. 5

CÉSAR: ¿Qué sabes tú lo que es lealtad? La palabra debería explotarte en los labios y deshacerte.

NAVARRO: Puede costarte la vida.

CÉSAR: Lo mismo que a ti. Es el precio de este juego.

NAVARRO: Como quieras, entonces. Pero estás a tiempo ... hasta 10 para la universidad, mira. Podemos arreglarnos. Déjame pasar esta vez ... después gobernarás tú. Entre los dos lo haremos todo.

CÉSAR: Imbécil. No me sorprendería que me asesinaras. Me sorprende que no lo hayas hecho ya. 15

NAVARRO: No soy tan tonto.

CÉSAR: Vete.

NAVARRO: (*Se dirige a la puerta. Se vuelve, de pronto.*) Oye ... quiero que llames aquí a Salinas ... anda buscando pleito.

CÉSAR: ¿Tienes miedo de pelear de frente? Es natural. (*Va a la* 20 *puerta. Llama.*) ¡Salinas! (NAVARRO *sonríe para sí.*)

SALINAS (*entrando*): Mande, general.

CÉSAR: Estate aquí mientras pasa el *general* Navarro. Creo que tiene miedo.

    (*Se oye dentro el ruido de un automóvil que* 25 *parte.*)

NAVARRO: Tú solo te has sentenciado, *general* Rubio.

SALINAS (*echando mano a la pistola*): ¿Mi general?

CÉSAR (*deteniendo su mano*): No desperdicies tus cartuchos. Échale un poco de sal para que se deshaga. 30

    (NAVARRO, *después de una última mirada, sale diciendo:*)

NAVARRO: Será como tú lo has querido.

XI   (*Mutis por la derecha. Un momento después se oye el ruido de automóviles en marcha, que se* 35 *alejan.*)

SALINAS: Mi general, éste lleva malas intenciones. Yo creo que habría que pararle los pies. Deme usted permiso.

CÉSAR: No, Salinas, déjalo. No puede hacer nada. (*Va al centro y ve a* MIGUEL, *que sale, pálido del marco de la puerta izquierda. Se oyen pasos en la escalera.*) ¡Miguel! ¿Estabas aquí?

5 MIGUEL (*con voz extraña*): No... te traía tu sombrero. (*Se lo tiende.*)

CÉSAR: ¿Qué tienes tú?

MIGUEL: Nada.

(*Al mismo tiempo que aparece* ELENA *en la puerta*
10 *izquierda,* GUZMÁN, TREVIÑO *y* ESTRELLA *entran por la derecha.*)

CÉSAR: Es hora de irnos, muchachos.

ELENA: César, quiero hablarte un momento.

CÉSAR: Tendrá que ser muy rápido, Elena. Por eso me despedí de
15 ti antes. Vayan preparando los coches, muchachos, los alcanzaré en un instante. (MIGUEL *se dirige a la izquierda.*) ¿Tú no vienes con nosotros, Miguel?

MIGUEL (*Se detiene, vacila visiblemente. Al fin, con un esfuerzo*): No. (*Todos lo miran. Comprende que debe dar una expli-*
20 *cación.*) No me siento bien. (*Rápido.*) Si estoy mejor dentro de un rato, los alcanzaré allá. (*Evita hablar directamente a su padre; no lo mira. Termina de hablar apenas cuando sale por la izquierda sin esperar más.*)

CÉSAR: Vamos, muchachos. Adeléntense.

25 GUZMÁN (*conforme salen*): Vamos a levantar una buena escolta. No me fío de Navarro. Se reía al subir a su coche.

(*Salen él,* TREVIÑO *y* SALINAS, *hablando entre ellos.*)

ESTRELLA (*Se detiene en el umbral y regresa unos pasos*): ¿Puedo
30 preguntar cómo resultó la entrevista, mi general?

CÉSAR: Muy bien. Tranquilícese, licenciado. Ande. (ESTRELLA *sale.*)

ELENA: ¿Qué entrevista? ¿Entonces es verdad que Navarro ha estado aquí? Eso es lo que quería preguntarte.

35 CÉSAR: Sí, aquí estuvo.

ELENA: ¿Qué quería?

CÉSAR: Ganar, naturalmente. Pero perdió.

ELENA: César, no vayas a los plebiscitos.

III   87

César (*riendo*): Me recuerdas a la mujer de César ... del romano.[15] (*Se acerca a ella y le toma las manos.*) ¿Tienes miedo?

Elena: Sí ... es la verdad. Renuncia a todo esto, César. Navarro puede ...

César: Navarro no puede nada ya. Aquí perdió los dientes y las uñas.

Elena: Puede matarte todavía.

César: No es tan tonto.

Elena: ¿Por qué habrías de arriesgar tu vida por una mentira? No lo hagas, César, vayámonos de aquí, a vivir en paz.

César: Te dije: Todo contigo. ¿Lo recuerdas? Hablas de una mentira. ¿Cuál?

Elena: ¿No lo sabes?

César: Es que ya no hay mentira: fué necesaria al principio, para que de ella saliera la verdad. Pero ya me he vuelto verdadero, cierto, ¿entiendes? Ahora siento como si fuera el otro ... haré todo lo que él hubiera podido hacer, y más. Ganaré el plebiscito ... seré gobernador, seré presidente tal vez ...

Elena: Pero no serás tú.

César: ¿Es decir que no crees en mí todavía? Precisamente seré yo, más que nunca. Sólo los demás creerán que soy otro. Siempre me pregunté antes por qué el destino me había excluído de su juego, por qué nunca me utilizaba para nada. Era como no existir. Ahora lo hace. No puedo quejarme. Estoy viviendo como había soñado siempre. A veces tengo que verme en el espejo para creerlo.

Elena: No es el destino, César, sino tú, tus ambiciones. ¿Para qué quieres el poder?

César: Te sorprendería saberlo. No haré más daño que otro, y quizás haré algún bien. Es mi oportunidad y debo aprovecharla. Julia parecerá bonita ... ya ahora lo parece, cuando me mira; será cortejada por todos los hombres. Miguel podrá hacer algo brillante, amplio, si quiere. Tú ... (*la abraza*) será como si te hubieras vuelto a casar, con un hombre enteramente nuevo ... llevarás la vida que escojas. Tendrás, al fin, todo lo que quieras.

ELENA: Yo no quiero nada. Te suplico que no vayas a ese plebiscito.

CÉSAR: No podría dejar de ir más que muerto. Ahora todo está empezado y todo tiene que acabar. No puedo hacer nada más que seguir, Elena; soy el eje en la rueda. Pero siento que el muerto no es César Rubio, sino yo, el que era yo... ¿entiendes? Todo aquel lastre, aquella inercia, aquel fracaso que era yo. Dime que entiendes... y espérame. (*La abraza, la besa y se cala el sombrero.*)

ELENA: Por última vez, César. ¡No vayas!

CÉSAR: ¿De qué tienes miedo?

ELENA: No te lo diré. Podría yo atraerte el mal así.

CÉSAR (*sonriendo*): Hasta dentro de un rato, Elena. Cuando vuelva, serás la señora gobernadora. (*La mira un momento, y sale. Dentro, lo acoge un vocerío entusiasta.* ELENA *permanece en el sitio, mirando hacia la puerta. De pronto* CÉSAR *reaparece.*) Es bueno que hables con Miguel. Es la única inquietud que me llevo: estuvo muy extraño hace un rato; me parece que sabe algo. Tranquilízalo, Elena. (*Hace un saludo final con la mano y se va.*)

(ELENA *sola va hacia el cartel. Lo mira pensativamente un momento. Se oye a* MIGUEL *en la escalera.* ELENA *se vuelve.*)

MIGUEL: Mamá, tengo que hablarte.

ELENA: Tengo una inquietud tan grande por tu padre, hijo. No viviré hasta que regrese.

MIGUEL: Si triunfa, cuando regrese yo empezaré a dejar de vivir.

ELENA: ¿Por qué dices eso?

MIGUEL (*brutal*): ¿Por qué ha hecho esto mi padre?

ELENA (*sentándose en el sofá*): ¿Hecho qué?

MIGUEL: Esta mentira... esta impostura.

ELENA: ¿Qué dices?

MIGUEL: Sé que no es César Rubio. ¿Por qué tuvo que mentir?

ELENA: Podría decirte que no ha mentido.

MIGUEL: Podrías, en efecto. ¿Y qué? No me convencerías después de lo que he oído.

ELENA: ¿Qué es lo que has oído, Miguel?

MIGUEL: La verdad. Se la oí decir a Navarro.

III   89

ELENA: ¡Un enemigo de tu padre! ¿Cómo pudiste creerlo?

MIGUEL: También se lo oí decir a otro enemigo de mi padre ... al peor de todos. A él mismo.

ELENA: ¿Cuándo?

MIGUEL: Hace un momento, cuando discutía con Navarro. Miente 5 ahora tú también si quieres.

ELENA: ¡Miguel!

MIGUEL: ¿Cómo voy a juzgar a mi padre ... y a ti ... después de esto?

ELENA (*reaccionando con energía*): ¿A juzgarnos? ¿Y desde 10 cuándo juzgan los hijos a sus padres?

MIGUEL: Quiero, necesito saber por qué hizo esto. Mientras no lo sepa no estaré tranquilo.

ELENA: Cuando tú naciste, tu padre me dijo: Todo lo que yo no he podido ser, lo que no he podido hacer, todo lo que a mí me 15 ha fallado, mi hijo lo será y lo hará.

MIGUEL: Eso es el pasado. No vayas a decirme ahora que mintió por mí, para que yo hiciera algo.

ELENA: Es el presente, Miguel. Examínate y júzgate, a ver si has correspondido a sus ilusiones. 20

MIGUEL: ¿Ha respetado él las mías? Todavía al llegar a esta casa le pedí que no fuera a hacer nada deshonesto, nada sucio. Tenía yo derecho a pedírselo, y él lo prometió.

ELENA: Nada sucio, nada deshonesto ha hecho.

MIGUEL: ¿Te parece poco? Robar la personalidad de otro hombre, 25 apoyarse en ella para satisfacer sus ambiciones personales.

ELENA: Todavía hace un momento se preocupaba por ti; pensaba que a su triunfo tú podrías hacer lo que quisieras en la vida. ¿Es así como le pagas?

MIGUEL: Lo que no quiero es su triunfo ... no tiene derecho de 30 triunfar con el nombre de otro.

ELENA: Toda su vida ha deseado hacer algo grande ... no sólo para él, sino para mí, para ustedes.

MIGUEL: ¿Entonces por eso lo justificas? ¿Porque te dará dinero y comodidades? 35

ELENA: No conoces a tu madre, Miguel. Tu padre no perjudica a nadie. El otro hombre ha muerto, y él ha muerto, y él puede hacer mucho bien en su nombre. Es honrado.

90   III

MIGUEL: ¡No! No es honrado, y eso es lo que me lastima en esto. En la miseria yo le hubiera ayudado ... lo hubiera hecho todo por él. Así ... no quiero volver a verlo.

ELENA (asustada): Eso es odio, Miguel.

5 MIGUEL: ¿Qué esperabas que fuera?

ELENA: No puedes odiar a tu padre.

MIGUEL: He hecho todos los esfuerzos ... primero contra la mediocridad, contra la mentira mediocre de nuestra vida. Toda mi infancia, gastada en proteger una apariencia de cosas
10 que no existían. Luego en la universidad, mientras él defendía el cascarón, la mentira ...

ELENA: ¡Miguel! ¿Te olvidas de que tú ... ?

MIGUEL: No. Pero ahora esto. Es demasiado ya. Con razón me sentía yo inquieto, incómodo, avergonzado, cada vez que
15 oía los vivas, los aplausos, los discursos. Ha llegado a representar a la perfección todas las mentiras que odio, y esto es lo que ha hecho por mí, por su hijo. Nunca podré oír ya el nombre de César Rubio sin enrojecer de vergüenza.

ELENA (levantándose agitada): No podría decirte cuánto me
20 torturas, Miguel. Debe de haber algo descompuesto en ti para darte estos pensamientos.

MIGUEL: ¿Por qué hizo esto mi padre?

ELENA: ¿No has dicho tú mismo que por sus ambiciones, no has pensado ya que por las mías? ¿No has dicho que no creerás
25 lo contrario de lo que crees ahora? No tengo nada que decirte, porque no lo comprenderías. No te reconozco, eso es todo ... no puedo creer que seas el mismo que llevé en mí.

MIGUEL: Mamá, ¿no comprendes tú tampoco, entonces?

ELENA: Comprendo que te llevaba todavía en mí, que seguías en mi
30 vientre, y que de pronto te arrancas de él.

MIGUEL: ¿No te das cuenta de que quiero la verdad para vivir; de que tengo hambre y sed de verdad, de que no puedo respirar ya en esta atmósfera de mentira?

ELENA: Estás enfermo.

35 MIGUEL: Es una enfermedad terrible, no creas que no lo sé. Tú puedes curarme ... tú puedes explicarme ...

ELENA (lo mira con una gran piedad): Siéntate, Miguel. (Ella se sienta en el sofá; él a sus pies.) ...

III   91

MIGUEL (*mientras se sienta*): ¿Qué podrás decirme que borre lo que oí decir a mi propio padre?

ELENA: Puedo decirte que tu padre no mintió.

MIGUEL (*irguiendo violentamente la cabeza*): Si tú mientes, mamá, se me habrá acabado todo. 5

ELENA (*enérgica*): Tu padre no mintió. Él nunca dijo a nadie: Yo soy el general César Rubio. A nadie ... ni siquiera a Bolton. Él lo creyó, y tu padre lo dejó creerlo; le vendió papeles auténticos para tener dinero con que llevarnos a todos nosotros a una vida más feliz. 10

MIGUEL: Pero me había prometido ... No puedo creerlo.

ELENA: ¿No estuviste tú aquí la tarde que vinieron los políticos? ¿Le oíste decir una sola vez que él fuera el general César Rubio? (MIGUEL *mueve la cabeza en silencio.*) Entonces, ¿por qué lo acusas? ¿Por qué has dicho todas esas horribles 15 cosas?

MIGUEL (*nuevamente apasionado*): ¿Por qué aceptó entonces toda esa farsa, por qué no se opuso a ella? No dijo: Yo soy el general César Rubio, pero tampoco dijo que no lo fuera. ¡Y era tan fácil! Una palabra ... y ha ido más lejos aún ... 20 ha llegado a engañarse, a creer que es un general, un héroe. Es ridículo. ¿Cómo pudo ... ? Si yo tuviera un hijo le daría la verdad como leche, como aire.

ELENA: Si tuvieras un hijo, lo harías desgraciado. Ya te he dicho por qué aceptó tu padre. Hará bien en el gobierno, es su 25 oportunidad, la cosa que él había soñado siempre; podrá dar a sus hijos lo que no tuvieron antes. ¿Qué harías tú, en su lugar, si tus hijos te creyeran un fracasado, y se te presentara la ocasión de hacer algo ... grande?

MIGUEL: Nada es más grande que la verdad. Mi padre gobernará 30 en lugar de los bandidos ... él mismo lo dijo; pero esos bandidos por lo menos son ellos mismos, no el fantasma de un muerto.

ELENA: No tomó su nombre siquiera ... se llamaban igual, nacieron en el mismo pueblo ... 35

MIGUEL: No ... no ... así no. Lo prefería yo cuando estuvo frente a mí en la universidad.

ELENA: Eres tan joven, Miguel. Tus juicios, tus ideas, son violentos y duros. Los lanzas como piedras y se deshacen como espuma. Antes, en la universidad, acusabas a tu padre de ser un fracasado; ahora ...

MIGUEL: Era mejor aquello. Todo era mejor que esto. Ahora lo veo.

(JULIA *entra por la izquierda. Visiblemente ha* **XII** *estado oyendo parte de esta conversación.* MIGUEL *se levanta y va hacia la ventana.*)

JULIA: ¿Qué pasa, mamá?

ELENA: Nada.

JULIA: No me lo niegues.

MIGUEL (*volviéndose, sin dejar la ventana*): Has estado oyendo, ¿verdad? Escondida en la escalera ...

JULIA: Así oíste tú lo que no debías oír; la conversación entre papá y Navarro. Te ví desde arriba. ¿Por qué no te atreviste a decirle esas cosas a papá, frente a frente?

ELENA: ¡Julia!

JULIA: Para mí, como quiera que sea, papá será siempre un hombre extraordinario ... un héroe. Si lo hubieras observado en estos días, dando órdenes, hablando al pueblo, sometiendo a los jefes, habrías visto que nació para esto. Tuvo que esperar mucho tiempo, pero merecía tener esta ocasión de ...

MIGUEL: Eres mujer. ¿Cómo no había de despertar tus peores instintos el truco del héroe? Eso es lo que te tiene seducida. Si no lo observé a él, era porque te observaba a ti. Para quien no supiera que eras su hija, pudiste pasar por una enamorada de él. Y además, claro, su heroísmo te dará lo que has deseado siempre: trajes, joyas, automóviles.

ELENA: ¡Miguel, te prohibo ... !

JULIA: Pero si lo que habla en ti es la inferioridad, la envidia ...

MIGUEL: ¡Yo no he mentido!

JULIA: Él era un buen profesor; tú, un mal estudiante. Ahora, en el fondo, querrías estar en su lugar, ser tú el héroe. Pero te falta mucho.

MIGUEL: ¡Estúpida! ¿No comprendes entonces lo que es la verdad? No podrías ... eres mujer; necesitas de la mentira para vivir. Eres tan estúpida como si fueras bonita.

ELENA (*interponiéndose entre ellos*): ¡Basta, Miguel!

JULIA: No creas que me lastimas con eso. ¿Qué es mi fealdad

III   93

junto a tu cobardía? Porque tu afán de tocar la verdad no es más que una cosa enfermiza, una pasión de cobarde. La verdad está dentro, no fuera de uno.

ELENA: ¡Julia!

MIGUEL: Créelo así, si quieres. Yo seguiré buscando la verdad. 5
(*Pausa.* JULIA *va hacia la mesa, toma los telegramas y los lee uno por uno, con satisfacción.* ELENA *se sienta.* MIGUEL, *clavado ante la ventana, mira hacia afuera.*)

JULIA: Mira, mamá, del Presidente. (*Se lo lleva.*) 10

ELENA (*toma el telegrama, pero no lo mira*): Miguel ...

MIGUEL: ¿Mamá?

ELENA: ¿Oíste toda la conversación con Navarro?

MIGUEL: Casi toda.

ELENA: Entonces debes decirme ... 15

MIGUEL: No recuerdo nada ... la verdad que oí me llenó los oídos de tal modo que no pude oír otra cosa ya.

ELENA: ¿Amenazó Navarro a tu padre?

MIGUEL: Supongo que sí.

ELENA: Recuerda ... es necesario que recuerdes. Nunca he estado tan 20 inquieta por él. ¿Qué dijo? ¿En qué forma lo amenazó?

MIGUEL: ¿Qué importancia tiene? Mi padre no puede perder ahora.

ELENA: ¡Miguel! Por favor, piensa, hazlo por mí.

MIGUEL (*después de una pausa*): Ahora recuerdo. Al despedirse, 25 Navarro dijo ... sí: "Tú solo te has sentenciado ... Será como tú lo has querido."

ELENA (*levantándose*): Miguel, tu padre está en peligro, y tú lo sabías y te has quedado aquí a decir esas cosas de él ...

MIGUEL (*adelantando un paso*): ¿No te das cuenta de cómo me 30 sentía yo ... de cómo me siento?

ELENA: ¡Tu padre está en peligro!

MIGUEL: ¿No lo buscó él? ¿No mintió?

ELENA: Debes ir pronto, Miguel. Debes cuidarlo.
(MIGUEL *vacila.*) 35

JULIA: No se atreve, mamá, eso es todo. Iré yo.

ELENA: Yo lo sentía, lo sentía. (*Se oprime las manos.*) Navarro va

94   III

a tratar de matarlo. (JULIA *corre hacia la puerta, a la vez que:*)

MIGUEL (*reaccionando bruscamente*): Tienes razón, mamá. Perdóname por todo. Iré ... trataré de cuidarlo; pero después
5 ... Seremos mi padre y yo, frente a frente. (*Sale corriendo.*)

JULIA: No pasará nada, mamá. ¡Tengo tanta confianza en él ahora!

ELENA: No sé ... no sé. En el fondo, Miguel ...

JULIA: Miguel está loco, mamá ... busca la verdad con fanatismo, como si no existiera. No le hagas caso.

10 ELENA: Está en un estado tal ... Y tú también. Todas estas cosas que se han dicho ustedes dos ...

JULIA (*con una sonrisa*): Así era de niños, mamá. Y así era como Miguel se decidía a pelear, para demostrarme que no era un cobarde.

15 ELENA: Has sido tan dura ...

JULIA: Pero a nadie más le dejaría yo decirle eso.

ELENA: No sé ... no sé. (*Un poco hipnotizada por la inquietud.*) ¿Qué hora es?

JULIA: Mediodía, mamá. Fíjate en el sol. Ahora ya puedo saber la
20 hora por el sol.

(ELENA, *un poco sonámbula, va hacia la ventana. Allí abre los brazos de modo que toque los dos extremos del marco, y con la cabeza echada hacia atrás mira intensamente hacia afuera.* JULIA *sigue*
25 *leyendo telegramas y subrayando su interés con pequeños gestos de satisfacción.* ELENA *parece una estatua.* JULIA *la mira.*)

JULIA: Tranquilízate, mamá, por favor. Dentro de poco estará aquí y seremos otros ... Hasta Miguel.

30 ELENA (*sin volverse*): No puedo. Hace un momento sentí el sol como un golpe en el pecho.

JULIA: Hazlo por él. No le gustaría verte así.

ELENA: Miguel tiene razón. Nada bueno puede salir de una mentira. Y, sin embargo, yo no he podido detener a César.

35 JULIA: No hay mentira, mamá. Todo el pasado fué un sueño, y esto es real. No me importan los trajes ni las joyas, como cree Miguel, sino el aire en que viviremos. El aire del

poder de mi padre. Será como vivir en el piso más alto, de aquí, primero; de todo México después. Tú no lo has oído hablar en los mítines, no sabes todo lo que puede dar él, que fué tan pobre. Y todo lo que puede tener.

ELENA: Yo no quiero nada, hija mía, sino que él viva. Y tengo 5 miedo.

JULIA: Yo no; es como la luz, para mí. Todos pueden verlo, nadie puede tocarlo. Y será lindo, mamá, poder hacer todas las cosas, pensarlas con alas; no como antes, que todos los deseos, todos los sueños, parecían reptiles encerrados en mí. 10

ELENA (se sienta): Quizá piensas en tu amor, y hablas así por eso. ¿Esperas que ese muchacho te quiera viéndote tan alta? Yo no lo aceptaría entonces: sería interés.

JULIA: Yo no lo quiero ya, mamá. Lo sé desde hace dos semanas. Lo que amaba yo en él era lo que no tenía a mi alrededor ni 15 en mí. Pero ahora lo tengo, y él no importa. Tendré que buscar en otro hombre las otras cosas que no tenga. Querer es completarse.

ELENA: Tengo miedo, Julia. Todas estas semanas, mientras César iba y venía por el Estado, yo pensaba en la noche que el 20 hombre, formándose apenas, a quien yo no quiero todavía. Si eligen a César ...

JULIA: Está elegido ya, mamá, ¿no lo ves? Un elegido.

ELENA: Si eligen a César, será el gobernador. Lo rodeará gente a todas horas que lo ayudará a vestirse y lo alejará de mí. 25 Tendrá tanta ropa que no podrá sentir cariño ya por ninguna prenda ... y yo no tendré ya que remendar, que mantener vivas sus camisas ni que quitar las manchas de su traje. De un modo o de otro, será como si me lo hubieran matado. Y yo quiero que viva. (Se levanta violentamente.) 30 Es preciso que no lo elijan, Julia, es preciso.

JULIA: ¿Estás loca? ¿No comprendes todo lo que esto significa para todos? ¿No has sentido nunca deseos de vivir en la luz? Será una vida nueva para todos.

ELENA: Hablas como él. 35

JULIA: Yo prepararé su ropa cada mañana, en tal forma que no pueda tocar su corbata ni sentir su traje sobre su cuerpo sin tocarme, sin sentirme a mí. Contigo consultará sus

96   III

cosas, sus planes, sus decisiones, y cuando las realice te
estará viendo y tocando.

ELENA: No me ha hecho caso ahora ... no ha querido hacerme caso.
¿Por qué? ¿Por qué? No. Que lo derroten, aunque lo
5 denuncien ... que se burle de él y de su mentira toda la
gente. Miguel tiene razón. Que lo injurien, que lo escu-
pan ...

JULIA: ¡No hables así! ¿Por qué hablas así?

ELENA: Yo lo consolaré de todo. Quiero que viva.

10 JULIA: Quieres que muera.

ELENA: Quiero que muera el fantasma y que viva él; que muera
su muerte natural, propia. Que viva. (*Pausa. En el silencio
del mediodía se oye un claxon de automóvil, bastante
próximo.* ELENA *se sobresalta.*) ¡Un coche!

15 JULIA (*corriendo a la ventana, desde allí*): Son Guzmán y Miguel,
mamá.

ELENA: ¿Vienen otros coches?

(JULIA *no contesta.* ELENA *queda inmóvil en el
centro mirando hacia la puerta.* JULIA *se reúne con*
20 *ella. Entran* MIGUEL *y* GUZMÁN.)

ELENA: Miguel ... (*Espera.* MIGUEL *baja la cabeza en silencio.*)

JULIA: ¿Qué ha pasado?

GUZMÁN (*jadeante*): Señora ...

ELENA: ¿Han ... herido a César? (GUZMÁN *baja la cabeza.*) No
25 ... Lo han matado, ¿verdad?

GUZMÁN: Encontré al muchacho en el camino, señora, corriendo.
Ya era tarde.

ELENA (*contenida*): ¿Cómo fué? ¿Navarro?

GUZMÁN: Para mí, fué él, señora. Pero allí mataron al que disparó.
30 Bastó un tiro. Apenas acabábamos de llegar, y el general
iba a sentarse cuando ... En el corazón.

JULIA: Mamá ...

(*Le agarra las manos. Es un dolor increíble el de
las dos, que va desenvolviéndose y afirmándose*
35 *poco a poco.*)

ELENA: ¿Dice usted que mataron al hombre que disparó?

GUZMÁN: El pueblo lo hizo pedazos, señora.

(*Ruido de automóviles dentro.*)

ELENA (*lenta, con voz blanca*): Pedazos.

(*Se vuelve hacia la pared, muy erguida.* JULIA
*llora sin extremos, nada más bajando la cabeza y
dejando correr sus lágrimas.* MIGUEL *se deja caer
en un asiento. Ahora se oyen voces. En el umbral* 5
de la puerta aparece NAVARRO.)

GUZMÁN: ¡Tú! ¿Cómo te atreves ...?

NAVARRO (*avanzando*): Señora, permítame presentarle mis con-
dolencias más sinceras. Su marido ha sido víctima de un
cobarde asesinato.   10

(MIGUEL, *pasando por detrás de ellos, cierra la
puerta.*)

GUZMÁN: Y tan cobarde. Creo que yo tengo idea de quién es el
asesino.

MIGUEL (*en primer término derecho*): Yo también.   15

NAVARRO (*imperturbable*): El asesino de César Rubio, señora, fué
un fanático católico.

GUZMÁN: ¡Fuiste tú!

NAVARRO: Fué un fanático, como puede probarse. En su cuerpo
se encontraron un crucifijo y varios escapularios.   20

GUZMÁN: No tiene caso calumniar a nadie. Sabemos de sobra ...

ELENA (*de hielo*): Váyase usted, general Navarro. No sé cómo
se atreve a presentarse aquí después de ...

(*La interrumpe un tumulto creciente, afuera. Las
voces se multiplican en un rumor de tormenta.* 25
NAVARRO *se inclina, se dirige a la puerta, la abre
y sale después de una mirada a la familia. Se
escucha un rumor hostil. Luego, cada vez más
distintamente,* LA VOZ DE NAVARRO *que grita:*)

LA VOZ DE NAVARRO: ¡Camaradas! He venido a decir a la viuda 30
de César Rubio mi indignación ante el vil asesinato de su
marido. Aunque hay pruebas de que el asesino fué un
católico, no falta quien se atreva a acusarme. (*Murmullo
hostil.* GUZMÁN *va a la puerta y sale.*) Estoy dispuesto a
defenderme ante los tribunales y a renunciar a mi candi- 35
datura hasta que se pruebe mi inocencia ...

LA VOZ DE GUZMÁN: ¡Mentira! ¡Mentira! ¡Fué él y todos lo
sabemos!

(*Murmullo hostil, pero indefinible.*)

LA VOZ DE NAVARRO: No contestaré. César Rubio ha caído a manos de la reacción en defensa de los ideales revolucionarios. Yo lo admiraba. Iba a ese plebiscito dispuesto a renunciar en su favor, porque él era el gobernante que necesitábamos. (*Murmullo de aprobación.*) Pero si soy electo, haré de la memoria de César Rubio, mártir de la Revolución, víctima de las conspiraciones de los fanáticos y los reaccionarios, la más venerada de todas. Siempre lo admiré como a un gran jefe. La capital del Estado llevará su nombre, le levantaremos una universidad, un monumento que recuerde a las futuras generaciones ... (*Lo interrumpe un clamor de aprobación.*) ¡Y la viuda y los hijos de César Rubio vivirán como si él fuera gobernador! (*Aplausos sofocados.*)

ELENA (*agitando una mano como quebrada*): Cierra, Miguel. Las puertas, las ventanas, ciérralo todo.

MIGUEL: No mamá. Todo el mundo debe saber, sabrá ... No podría yo seguir viviendo como el hijo de un fantasma.

ELENA (*deshecha*): Cierra, Julia. Todo se ha acabado ya.

(JULIA, *vencida, se dirige a cerrar la ventana primero, luego la puerta. Penumbra. El rumor exterior se hace menos perceptible.*)

MIGUEL: ¡Mamá! (*Solloza sin ruido.*)

ELENA: Ése es otro hombre. El nuestro ... (*No puede seguir. Llaman a la puerta.*) No abras, Julia.

(*Tocan nuevamente.* MIGUEL *abre con lentitud. Entra* ESTRELLA; SALINAS *y* GUZMÁN *tras él.*)

ESTRELLA (*solemne, con esa especie de alegría de serlo que acompaña a los demagogos*): Señora, el señor Presidente ha sido informado ya de este triste suceso. (MIGUEL, *vuelto hacia ellos, escucha.*) El cuerpo del señor general Rubio será velado en el palacio de gobierno. Vengo para llevarlos a ustedes allí. Se le tributarán honores locales de gobernador; pero, además, considerando que se trata de un divisionario y de un gran héroe, su cuerpo recibirá honores presidenciales y reposará en la Rotonda de los Hombres Ilustres. Usted, señora, tendrá la pensión que le corresponde. El gobierno revolucionario no olvidará a la familia de su héroe más alto.

ELENA: Gracias. No quiero nada de eso. Quiero el cuerpo de mi marido. Iré por él. (*Camina hacia la puerta.* JULIA *la sigue.*) Tú quédate.

JULIA: Mamá, iremos todos. Y se le harán los honores. (ELENA *la mira.*) ¿No comprendes?

SALINAS: No entiendo, señora ...   5

ESTRELLA: César Rubio pertenece al pueblo, señora.

GUZMÁN (*detrás de ellos, sañudo*): Nos pertenece a nosotros para siempre.

JULIA: ¿No comprendes, mamá? Él será mi belleza.

    (ELENA *hace un esfuerzo para hablar, sin lograrlo.* 10
    Agita un poco una mano. ESTRELLA *la toma del*
    brazo. Salen. MIGUEL *queda inmóvil en la escena.*
    Los murmullos y las voces desaparecen en un
    silencioso homenaje a la viuda. Después de un
    momento entra NAVARRO.)   15

MIGUEL: ¿Usted? Tengo que aclarar algo, primero con usted, luego con todo el mundo.

NAVARRO (*brutal*): ¿Qué es lo que sabe usted?

MIGUEL: Sé que usted mató a mi padre. (*Con una violencia incontenible.*) Lo sé. ¡Oí su conversación!   20

NAVARRO (*estremecido*): ¿Sí? (*Se sobrepone.*) Oiga usted lo que dice el pueblo que presenció los acontecimientos, joven. El asesino fué un católico. Puedo probarlo. Mis propias gentes trataron de aprehenderlo.

MIGUEL: Y para mayor seguridad, lo mataron. Para borrar todas 25 las pruebas. Mató usted a mi padre y a su asesino material, como mató usted a César Rubio. ¡Lo oí todo!

NAVARRO (*turbado y descompuesto*): Su dolor no lo deja ... (*Desafiante de pronto.*) ¡No podría usted probar nada!   30

MIGUEL: Eso no puedo remediarlo ya. Pero no voy a permitir esta burla: la ciudad César Rubio, la universidad, la pensión. ¡Usted sabe muy bien que mi padre no era César Rubio!

NAVARRO: ¿Está usted loco? Su padre *era* César Rubio. ¿Cómo va 35 usted a luchar contra un pueblo entero convencido de ello? Yo mismo no luché.

MIGUEL: Usted mató. ¿Era más fácil?

100

NAVARRO: Su padre fué un héroe que merece recordación y respeto a su memoria.

MIGUEL: No dejaré perpetuarse una mentira semejante. Diré la verdad ahora mismo.

NAVARRO: Cuando se calme usted, joven, comprenderá cuál es su verdadero deber. Lo comprendo yo, que fuí enemigo político de su padre. Todo aquel que derrama su sangre por su país es un héroe. Y México necesita de sus héroes para vivir. Su padre es un mártir de la Revolución.

MIGUEL: ¡Es usted repugnante! Y hace de México un vampiro ... pero no es eso lo que me importa ... es la verdad, y la diré, la gritaré.

NAVARRO (se lleva la mano a la pistola. MIGUEL lo mira con desafío. NAVARRO reflexiona y ríe.) Nadie lo creerá. Si insiste usted en sus desvaríos, haré que lo manden a un sanatorio.

MIGUEL (con una frialdad terrible): Sí, sería usted capaz de eso. Aunque me cueste la vida ...

NAVARRO: Se reirán de usted. No podría usted quitarle al pueblo lo que es suyo. Si habla usted en la calle, lo tomarán por loco. (Saluda irónicamente el cartel de César Rubio.) Su padre era un gran héroe.

MIGUEL: Encontraré pruebas de que él no era un héroe y de que usted es un asesino.

NAVARRO (en la puerta): ¿Cuáles? Habrá que probar una cosa u otra. Si dice usted que soy un asesino, gente mal intencionada podría creerlo; pero como también piensa usted que su padre era un farsante, nadie lo creerá ya. Es usted mi mejor defensor, y su padre era grande, muchacho. Le debo mi elección. (Sale. Se oye un clamor confuso afuera. Luego, voces que gritan: ¡Viva Navarro!)

LA VOZ DE NAVARRO: ¡No, no, muchachos! ¡Viva César Rubio! (Un "¡Viva César Rubio!" clamoroso se deja oír.)

> (MIGUEL hace un movimiento hacia la puerta; luego sale rápidamente por la izquierda. Ruido de voces y de automóviles en marcha, afuera. Pequeña pausa, al cabo de la cual MIGUEL reaparece llevando una pequeña maleta. Se dirige a la puerta derecha. De allí se vuelve, descuelga el cartel con

la imagen de César Rubio, después de dejar su maleta en el suelo. Dobla el cartel quietamente, y lo coloca sobre el escritorio. Luego empuja con el pie el rollo de carteles, que se abre como un abanico en una múltiple imagen de César Rubio.)

MIGUEL: ¡La verdad!

(Se cubre un momento la cara con las manos, y parece que va a abandonarse, pero se yergue. Entonces toma, desesperado, su maleta. En la puerta se cerciora de que no queda nadie afuera. El sol es cegador. MIGUEL sale, huyendo de la sombra misma de César Rubio, que lo perseguirá toda su vida.)

TELÓN

Notas

Notas

1. Un caso es el de Ambrose Bierce ...
Ambrose Bierce (1842-1914?), cuentista norteamericano, famoso por sus cuentos que tratan de lo horripilante y lo sobrenatural. En noviembre de 1913 salió de San Francisco para México donde se reunió con las fuerzas revolucionarias de Pancho Villa. Por algunos años su familia no recibió noticias de él. Ahora parece cierto que fué asesinado en 1914 por una u otra facción revolucionaria en México. Hoy día su muerte se atribuye al general Tomás Urbina, compadre de Villa. Las principales obras de Bierce son: *Nuggets and Dust* (1872); *Cobwebs from an Empty Skull* (1873); *The Dance of Death* (1877); *The Monk and the Hangman's Daughter* (1892); *Shapes of Clay* (1903); *The Cynic's Word Book* (1906), reimpreso en 1911 como *The Devil's Dictionary*.

2. ... que se une a Pancho Villa ...
Francisco (Pancho) Villa (1877-1923), revolucionario y bandido mexicano, se reunió con las fuerzas de Francisco I. Madero cuando era muy joven. En 1914 fué con Carranza en una revolución contra Huerta y al año siguiente comenzó su oposición contra Carranza, quedándose dueño de la mayor parte de los estados de Sonora, Chihuahua y Sinaloa en el norte. En 1916 invadió los estados de Arizona, Nuevo México y Tejas. Esto enojó al gobierno de los Estados Unidos y el presidente Woodrow Wilson mandó al general Pershing con una expedición para capturar al bandido pero escapó para México. Poco después las fuerzas norteamericanas fueron retiradas. En 1920, después del asesinato de Carranza, llegó a ser presidente el general Obregón quien al fin se llevó bien con Villa.

3. ... a raíz de la batalla de Ojinaga.
Se refiere a una de las batallas famosas de Pancho Villa.

4. ... Santos Chocano, ... John Reed ...
José Santos Chocano (1875-1934), poeta peruano, se dedicaba a cantar la naturaleza de América, las leyendas históricas y los temas políticos. Fué el jefe del movimiento modernista de la poesía en el Perú. Acompañó a Pancho Villa en la Revolución mexicana y le dedicó su poema *Última*

rebelión en el que le llamó "Bandolero divino," y del que son los siguientes versos:

Hijo de águila y tigre, sientes en las entrañas
yo no sé qué delirio de metal en crisol:
agua pura que gime bajo negras montañas,
o arrebol salpicado con la sangre del Sol.

El poeta terminó su vida asesinado en Chile el 13 el diciembre de 1934 por mezclarse en una querella literaria y política. Sus obras principales son: *En la aldea* (1893); *Iras santas* (1895); *Alma América* (1906); *¡Fiat lux!* (1908).

John Reed, periodista norteamericano, siguió a Pancho Villa durante la Revolución mexicana. Llegó a ser muy conocido por todo el mundo por sus artículos sobre Rusia entre los años de 1918–20.

5. **... hizo comprender a Madero ...**
Francisco I. Madero (1873–1913), se atrevió a protestar contra la dictadura de Porfirio Díaz, lo cual dió principio a una revolución popular. Fué inaugurado como presidente de México el 6 de noviembre de 1911 después del destierro del dictador. Idealista pero inepto, fué asesinado el 23 de febrero de 1913.

6. **... a raíz de la entrevista Creelman-Díaz ...**
En 1908 Porfirio Díaz le dió una entrevista al periodista norteamericano, Henry Creelman, en la que le declaró que no protestaría contra la oposición política. Esto animó a Francisco Madero a imprimir su libro *La Sucesión Presidencial* que llegó a ser el programa político de la Revolución.

7. **... mientras el general Díaz ...**
Porfirio Díaz (1830–1915), estadista y general mexicano, luchó contra las tropas francesas y después contra las de Maximiliano. En 1876, cuatro años después de la muerte de Benito Juárez, fué electo presidente de México. Electo nuevamente en 1884 y por sucesivas reelecciones, se mantuvo en la presidencia hasta 1911. Murió en París.

8. **... como el levantamiento contra Huerta ...**
Victoriano Huerta (1844–1916), soldado y estadista mexicano, fué el jefe de la rebelión que resultó en la derrota y muerte del presidente Francisco I. Madero en 1913. Huerta llegó a ser presidente en aquel año y mantuvo su poder durante más de un año, a pesar de la oposición de los Estados Unidos y de los constitucionalistas bajo Carranza. Resignó la presidencia el 15 de julio de 1914 y se escapó a Europa donde vivió algunos meses. Al regresar, pasó un rato en los Estados Unidos y fué encarcelado en El Paso, Tejas en julio de 1915 por infracción de la ley de neutralidad de los Estados Unidos. Murió seis meses más tarde al ser puesto en libertad.

9. **... sus disensiones con Carranza, ... y Zapata ...**
Venustiano Carranza (1860–1920), ex-senador y gobernador del estado de Coahuila, fué electo presidente en 1917. Promulgó una nueva constitución en febrero del mismo año. Cuando intentó nombrar a un civil como su sucesor, hubo mucha protesta de parte de los militares. Fué asesinado el 23 de mayo de 1920 al salir de la capital para Veracruz.

Emiliano Zapata (1877–1919), general revolucionario del estado de Morelos cuyo grito de "Tierra" dió principio al movimiento agrario.

10. **... Carranza promulgó la ley del 6 de enero de 1915 ...**
La primera reacción oficial en la revolución agraria, comenzada por Emiliano Zapata en 1911 en el estado de Morelos, demandando tierra y mejores condiciones de vida para los peones, fué la promulgación de la ley del 6 de enero de 1915 por Venustiano Carranza en Veracruz. Estos principios fueron incorporados en el artículo 27 de la Constitución de 1917.

11. **... con Rubio Navarrete, con César Treviño.**
Navarrete, general federal; *Treviño*, general revolucionario. El autor recuerda intencionalmente a los dos generales con los nombres de "Rubio" y "César" para añadir más confusión respecto a la identidad de César Rubio.

12. **Bajo este título, tomado de Shakespeare ...**
El profesor Bolton se equivoca. No fué Shakespeare sino Lord Byron que dijo en *Don Juan*, Canto XIV, Estrofa 101:

> *'Tis strange, but true; for truth is always strange,—*
> *Stranger than fiction.*

13. **Cincinato se retiró a labrar la tierra ...**
Lucio Quintio Cincinato, un rico patricio de los primeros días de la República romana. En el año de 458 A. C., los mensajeros del Senado lo sorprendieron trabajando en su finca cuando vinieron a emplazarlo para la dictadura. Él salvó al ejército de la destrucción del enemigo, marchó a Roma cargando su botín y después regresó sosegadamente a trabajar las tierras de su finca.

14. **César escribió sus *Comentarios*;**
Julio César (100–44 A. C.), un famoso general romano, estadista e historiador, escribió los siete libros de sus *Comentarios de la Guerra de Galia* después de la captura de Alesia y la supresión final de la sublevación de Auvernia.

15. **Me recuerdas a la mujer de César ... del romano.**
Se refiere a lo que dijo Calfurnia a su esposo en el drama *Julio César* de Shakespeare, Acto II, Escena II:

CALPHURNIA: *What mean you, Caesar? Think you to walk forth? You shall not stir out of your house today.*
CAESAR: *Caesar shall forth: the things that threaten'd me ne'er look'd but on my back; when they shall see the face of Caesar they are vanished.*
CALPHURNIA: *Caesar, I never stood on ceremonies, yet now they fright me. There is one within, besides the things that we have heard and seen, recounts most horrid sights seen by the watch. A lioness hath whelped in the streets; and graves have yawn'd and yielded up their dead;* Etc.
CAESAR: *What can be avoided, whose end is purpos'd by the mighty gods? Yet Caesar shall go forth; for these predictions are to the world in general as to Caesar.* Etc.

Ejercicios

Ejercicios

A. Escríbanse sinónimos de las palabras siguientes: I

1. contestar
2. dueño
3. muelas
4. piezas
5. sueldo

6. cara
7. sólo
8. tonto
9. precisamente
10. en balde

B. Escríbanse antónimos de las palabras siguientes:

1. techo
2. detrás de
3. esclavitud
4. cerrado
5. bajo

6. delgado
7. acercarse
8. perder
9. moreno
10. belleza

C. Escríbanse oraciones originales empleando las expresiones siguientes de tal modo que se revele el significado de la expresión:

1. en mangas de camisa
2. hacer las veces
3. consistir en
4. a guisa de
5. más bien

6. hacer función
7. estar de acuerdo
8. tener éxito
9. a tiempo
10. dejar caer

D. Escríbase el tiempo presente de indicativo de los verbos que están escritos en bastardillas:

1. El cajón *contener* muchos libros.
2. Los muebles *hacer* las veces de juego confortable.
3. Un poco más arriba *haber* una ventana amplia.
4. Miguel *enjugarse* la frente de vez en cuando.
5. No me *gustar* ir a un desierto.
6. Yo *poder* ver los automóviles en la carretera.
7. Usted no *conseguir* hacer dinero en la capital.
8. Yo *saber* tantas cosas sobre todos ellos.
9. La extracción de muelas no le *doler* mucho.
10. Él *volver* a su asiento y *encogerse* de hombros.
11. Todos *quejarse* de que yo *ser* un fracasado.
12. Yo *tener* mucho que decir y yo *ir* a decirlo.
13. Todo el mundo *reírse* de ustedes.
14. Nosotros no *ir* a estar aquí toda la vida.
15. Yo *conocer* a todos los políticos que *jugar*.

E. Contéstense a las preguntas siguientes con oraciones completas:

1. ¿De qué ciudad han llegado los Rubio?
2. ¿Por qué están en mangas de camisa los hombres?
3. ¿Cómo son los muebles de la casa?
4. Descríbase a Elena Rubio.
5. ¿Cómo es Julia?
6. Descríbase a César Rubio.
7. ¿Cómo parece su hijo Miguel?
8. ¿Por qué está tan cansado?
9. Según *Miguel,* ¿en qué piensa demasiado Julia?
10. ¿Cómo explica César todos los años que Miguel ha perdido en la universidad?
11. ¿Cómo fué la universidad para su hijo?
12. ¿Por qué reprochan los hijos a su padre?
13. ¿Qué aseguran los revolucionarios, según César?
14. Según él, ¿de quién está enamorada Julia?
15. ¿De qué puede convencer César a todos los políticos?
16. ¿Por qué le da una bofetada a su hijo?
17. ¿Cómo explica Miguel el reproche a su padre?
18. ¿Por qué no se reía todo el mundo de ellos?
19. ¿Cómo le critica Julia a su padre?
20. ¿Quién llama a la puerta? ¿Por qué?

F. Proyectos escritos u orales:

Al levantarse el telón, ¿cómo es la escena? *Hágase un dibujo mostrando la sala y el comedor con sus puertas, sus ventanas, sus muebles, etc.*

A. Escríbanse sinónimos de las palabras siguientes:

II

1. quizá
2. seguro
3. ajeno
4. suceder
5. equivocarse

6. porvenir
7. lentamente
8. respuesta
9. tranquilo
10. conseguir

B. Escríbanse antónimos de las palabras siguientes:

1. despertarse
2. fracasar
3. mejor
4. feo
5. odiar

6. amargura
7. juventud
8. arriba
9. ganar
10. izquierda

C. Escríbanse oraciones originales empleando las expresiones siguientes de tal modo que se revele el significado de la expresión:

1. hacer un viaje
2. a media voz
3. a menudo
4. fijarse en
5. de una vez

6. de cualquier modo
7. a pesar de
8. ojalá
9. en serio
10. darse cuenta de

D. Escríbanse las oraciones siguientes empleando la palabra que sea necesaria:

1. César se dirige _____ la puerta de la derecha.
2. Bolton entra _____ la sala.
3. Voy _____ poner sábanas en la cama.
4. Todo esto tiene _____ suceder algún día.
5. No se fijó _____ ti.
6. Estoy pensando _____ ustedes.
7. Todo lo que sé no me ha servido _____ nada hasta ahora.
8. Tienes _____ olvidar esas ideas.

9. Se oye _____ Elena bajar la escalera.
10. No se acordará _____ mí.
11. Hago mi primer viaje a su hermoso país _____ automóvil.
12. Ella se había sentado junto _____ la ventana.
13. En México empieza uno _____ nuevo todos los días.
14. No hablemos más _____ eso.
15. Ella se arrepiente _____ haber nacido.

E. Escríbase el tiempo presente perfecto de los verbos que están escritos en bastardillas:

1. Tu tragedia no *ser* tan grandiosa.
2. Él no *hacer* nada más que verme.
3. *Equivocarse* si creemos que él es un fracasado.
4. Ella *poner* sábanas en la cama de Miguel.
5. Aquel imbécil no me *decir* nada.
6. ¿*Ver* usted algo en el espejo?
7. El nuevo rector le *devolver* su puesto en la universidad.
8. Todo lo que sé no me *servir* de nada hasta ahora.
9. Voy a averiguar si no *morir* aquel bandido.
10. Yo *sentarse* junto a la ventana para ver mejor.

F. Contéstense a las preguntas siguientes con oraciones completas:

1. ¿De dónde es el profesor Oliver Bolton?
2. ¿Cómo es él?
3. ¿Por qué quiere telefonear?
4. ¿Por qué no puede reparar el coche?
5. ¿Por qué no pasa la noche en un hotel?
6. ¿Quién le ofrece su cama?
7. Según Elena, ¿por qué no deben recibir a Bolton en tal forma?
8. ¿Cómo son todos los americanos, según ella?
9. ¿De qué quiere hablar César con su hija?
10. ¿Cómo analiza el carácter de Julia?
11. ¿Cómo se siente ella a veces?
12. ¿Se parecen mucho los dos?
13. ¿Por qué quiere ver César al general Navarro?
14. Según el padre, ¿cómo es la política?
15. ¿Qué informes le da a César la tarjeta de Bolton?
16. ¿Adónde va el profesor para asearse?
17. ¿Por qué tiene César una sonrisa bastante peculiar al mirar su tarjeta?

18. ¿Qué puede conseguir Bolton para él en los Estados Unidos?
19. ¿Por qué se interesan tanto los americanos por las cosas de México?
20. ¿De qué siempre ha estado enfermo César, según su esposa?

A. Escríbanse sinónimos de las palabras siguientes: **III**

1. regresar   6. de nuevo
2. obstinado   7. certeza
3. empleo   8. en seguida
4. seguir   9. iniciar
5. escoger   10. recelo

B. Escríbanse antónimos de las palabras siguientes:

1. subir   6. sentarse
2. mentira   7. fuera de
3. tarde   8. nada
4. caro   9. calor
5. recordar   10. alejarse

C. Escríbanse oraciones originales empleando las expresiones siguientes de tal modo que se revele el significado de la expresión:

1. dar vueltas   6. lleno de
2. frente a frente   7. con permiso
3. pensar en   8. a raíz de
4. por lo menos   9. tener que ver con
5. de pronto   10. sin embargo

D. Escríbase el tiempo imperfecto o pretérito de los verbos que están escritos en bastardillas, explicando las razones de su uso:

1. César *sentarse* y *sacar* del bolsillo un paquete de cigarros de hoja.
2. Él le *dar* vueltas entre los dedos mientras *pasar* a la sala.
3. Yo no *querer* seguir viviendo en la mentira.
4. Ella *creer* que él se había dado cuenta.
5. No *ser* su única razón.
6. Usted me *decir* cosas peores.
7. Él le *echar* un brazo al cuello.

8. Su padre siempre le *prometer* no hacer nada.
9. Yo *tener* una beca para hacer un libro.
10. ¿A qué casos *referirse* usted?
11. Villa *ser* como los dioses de la guerra que no *querer* ser criticados.
12. El bandido no *tener* nada que ver con ello.
13. Bierce *ir* a México en noviembre de 1913.
14. El general *hacer* comprender a Madero la necesidad de una revolución.
15. Él *sostener* las primeras batallas y *poner* en movimiento al presidente.
16. ¿Cómo *morir* el caudillo?
17. No *haber* un solo disfraz que no usara.
18. ¿Qué hora *ser* cuando yo *llegar* a casa?
19. Elena *fingirse* atareada.
20. Nosotros *admirar* mucho a Villa desde que *hacer* andar a Pershing a salto de mata.

E. Contéstense a las preguntas siguientes con oraciones completas:

1. ¿Qué vuelve a sacar César del bolsillo? ¿Por qué?
2. ¿Por qué se ha fijado en como pronuncia Bolton la *ce*?
3. ¿Cómo explica Miguel su decisión de irse?
4. ¿Qué hizo durante la huelga en la universidad?
5. ¿Cómo explica su motivo de participar en la huelga?
6. Según Miguel, ¿por qué se mezcla su padre con los políticos?
7. ¿Qué le promete César a su hijo?
8. Según Bolton, ¿cómo es el país de México?
9. ¿Por qué le manda a México la Universidad de Harvard?
10. ¿Qué datos le da a César respecto al americano Ambrose Bierce?
11. ¿Cuándo llegó Bierce a México?
12. ¿Bajo qué circunstancias desapareció, según César?
13. ¿Cómo es la tesis de Bolton respecto a Bierce?
14. ¿Cuál es el otro caso a que se refiere Bolton?
15. ¿Le pagaría a César los documentos acerca del general César Rubio?
16. ¿Cuántos años tenía César Rubio cuando era general?
17. ¿De qué convenció a Francisco Madero?
18. ¿Qué hizo mientras se celebraban las fiestas del Centenario?
19. ¿Qué hace Elena mientras dispone la mesa para la cena?
20. Según Bolton, ¿cuál es lo más interesante del general Rubio?

116

21. ¿A quién dejó control al desaparecer Rubio?
22. ¿Cómo son las universidades fuera de Harvard, según Bolton?
23. ¿Por qué le interesa César Rubio más que Villa u otros héroes revolucionarios?
24. ¿Por qué está un poco desconcertado Bolton?
25. ¿Tiene la Universidad de Harvard mucho dinero para invertir en su trabajo?

A. Escríbanse sinónimos de las palabras siguientes: **IV**

1. atravesar
2. caudillo
3. combate
4. súbitamente
5. cantidad

6. sitio
7. quedar
8. luego
9. en otra parte
10. cerro

B. Escríbanse antónimos de las palabras siguientes:

1. comprar
2. recto
3. nadie
4. siempre
5. rápidamente

6. levantarse
7. lentitud
8. afirmativamente
9. breve
10. entrar en

C. Escríbanse oraciones originales empleando las expresiones siguientes de tal modo que se revele el significado de la expresión:

1. hacer frente
2. ser muy dueño
3. por otro lado
4. tener razón
5. trato hecho

6. de todas maneras
7. a la vez
8. caer de espaldas
9. encogerse de hombros
10. enterarse de

D. Sustitúyanse las palabras escritas en bastardillas con los debidos pronombres personales, haciéndose los otros cambios que sean necesarios:

1. César sigue *a Julia* con la vista.
2. Usted tiene que buscar *sus informes* en otra parte.
3. Él encuentra *la tarjeta del norteamericano* en las bolsas de su pantalón.

4. El ayudante se encargó de desviar *al general*.
5. Él no me contó *la historia*.
6. Tengo *un telegrama* manchado con su sangre.
7. El asistente ciego explicó *todo a César Rubio*.
8. Busque usted *la prueba* por otro lado.
9. Voy a decir *la verdad al maestro*.
10. No me explique usted *el enigma*.
11. Daré *la cantidad a su ayudante*.
12. Quiero ver *al hombre* en seguida.
13. No revelaré *el trato a mis hijos*.
14. Voy a enseñar *la lógica a los estudiantes*.
15. ¿Cuándo me llevará usted a ver *a César Rubio?*

E. Contéstense a las preguntas siguientes con oraciones completas:

1. Según Bolton, ¿por qué compran todo los norteamericanos?
2. ¿Por qué no comprarían a Taxco?
3. ¿Por qué no puede dar César la verdad sobre el general?
4. ¿Qué suma menciona Bolton para satisfacer las condiciones?
5. ¿Por qué arquea las cejas el profesor norteamericano?
6. ¿Por qué se dirigió el general Rubio a México en noviembre de 1914?
7. ¿En qué lugar se reunió con el destacamento explorador?
8. ¿Quiénes desaparecieron con él?
9. ¿Qué le ofrece Bolton a César para completar la suma?
10. Antes de morir, ¿a quién alcanzó a matar el general?
11. ¿Cómo seguían marchando hacia Monterrey el general y su ayudante?
12. ¿Quién le contó a César la historia?
13. ¿Qué documentos tiene César para vender a Bolton?
14. ¿Qué pruebas tiene de la muerte del general?
15. ¿Cuál es otra prueba que tenía el capitán Solís?
16. ¿Por qué no ha escrito César un libro sobre todo esto?
17. ¿Por qué dice Bolton que todo es contra la lógica?
18. Según Bolton, ¿cuánto valen los documentos de que habla César?
19. ¿Por qué no corresponde la teoría al carácter del general?
20. ¿Cómo explica César su desaparición?
21. ¿Qué acontecimiento histórico agravó su enfermedad?
22. ¿Con quiénes lo confundían?
23. ¿Por qué decidió desaparecer después de más de un año?
24. ¿Qué prueba quiere Bolton antes de darle a César la cantidad que ha pedido?

118

25. Según César, ¿qué es la historia?
26. ¿Qué sueñan los que la enseñan?
27. ¿Qué quiere César que Bolton le prometa?
28. ¿Qué clase de profesión escogió el general después de desaparecer?
29. ¿Por qué cae Bolton casi de espaldas?
30. ¿Por qué *pudo* decidirse a enseñar historia el general?
31. Explíquese el significado doble de la frase de César: "Necesito lavarme."
32. ¿Por qué no saben nada de eso los hijos de Elena?

F. **Proyectos escritos u orales:**

¿Qué opina usted de la habilidad del autor al presentar en el primer acto: (1) el ambiente, (2) a los personajes y (3) el problema principal?

A. **Escríbanse oraciones originales empleando las expresiones siguientes de tal modo que se revele el significado de la expresión:** V

1. hace calor
2. de un modo raro
3. no poder más
4. hacer caso
5. otra vez

6. hacer daño
7. tener miedo
8. en fuerza de
9. volverse loco
10. puede ser

B. **Escríbanse los imperativos de los verbos que están escritos en bastardillas:**

1. *Traer* Ud. el lío de ropa del solar.
2. *Buscar* Ud. una casa en Saltillo.
3. *Mirar* Uds. al precandidato.
4. *Contestar* Uds. a estas preguntas.
5. *Decir* Ud. la verdad a sus estudiantes.
6. *Dar* Ud. un vaso de agua al señor.
7. *Saber* Ud. los datos de este caso.
8. No *asomarse* Ud. a la ventana.
9. *Oír* Uds. la música.
10. No me *hacer* Ud. daño.
11. *Dirigirse* Ud. a la izquierda.
12. *Ser* Ud. honrado conmigo.
13. *Ir* Uds. si tienen tanta inseguridad.

14. *Despertarse* Ud. más temprano.
15. *Ponerse* Ud. un traje más ligero.

C. Escríbase el tiempo pasado perfecto o pluscuamperfecto de los verbos que están escritos en bastardillas:

1. ¿Por qué no me avisó que *llegar* ellos?
2. Yo *ver* el paquete que trajo la otra noche.
3. Él perdió su carrera porque ellos *descubrir* todo.
4. Yo sabía que usted *escribir* a ese muchacho otra vez.
5. Él me *decir* que vive aquí César Rubio.
6. La verdad era la que le *hacer* daño.
7. Ellos *poner* una tienda en Monterrey.
8. Yo *volver* a casa antes de su llegada.
9. ¿*Abrir* usted el lío de ropa?
10. Nosotros no *darse* cuenta del peligro.

E. Contéstense a las preguntas siguientes con oraciones completas:

1. ¿Cuánto tiempo pasa entre el primer acto y el segundo?
2. ¿Qué hora es cuando empieza la acción?
3. ¿Qué tiempo hace?
4. ¿Por qué abandona frecuentemente su lectura Julia?
5. ¿Cómo es el traje que lleva?
6. ¿A quién grita al asomarse a la ventana derecha?
7. Descríbase al desconocido—Navarro.
8. ¿Qué hace al ver la forma de Julia?
9. ¿Por qué no deja su nombre antes de irse?
10. ¿Por qué se estremece un poco Julia?
11. ¿Cómo le dijo el desconocido que era un antiguo amigo de su padre?
12. ¿Cómo sabe Elena que su hija espera una carta?
13. ¿Cómo puede resignarse mejor a esta vida, según su mamá?
14. Según Julia, ¿qué hace su padre?
15. ¿Por qué se fué su hermano Miguel?
16. ¿Cómo son los dos hijos, según Elena?
17. ¿Qué pide que Julia le traiga?
18. ¿Qué hace César al entrar en la sala?
19. ¿Qué le pide a su esposa?
20. ¿Cómo parece César desde la salida de Bolton?
21. ¿Escuchó Elena la conversación entre César y Bolton?
22. ¿A quién engaña César?

23. ¿Por qué lo creyó Bolton?
24. ¿Por qué no desenmascaró Elena a su esposo frente a Bolton?
25. ¿Qué había en el paquete que trajo César la otra noche?
26. ¿Qué quiere Elena que él haga con el dinero?
27. ¿Adónde ha ido César para buscar una casa?
28. ¿Por qué cree que no se descubrirá su mentira?
29. ¿Por qué ha pensado Elena que no volvería cada noche?
30. Si se descubriera la mentira, ¿qué perdería Bolton?
31. ¿Qué le detiene a César de salir de México?
32. ¿Cómo le explica a su mujer su remordimiento?
33. ¿Por qué dijo Miguel que se quedaba en casa?
34. ¿Por qué no quiere César irse de México?
35. Según él, ¿cómo vive todo el mundo en México?

A. Escríbanse sinónimos de las palabras siguientes: **VI**

1. cansado
2. relatar
3. mutis
4. callar
5. alterar

6. interrogar
7. feliz
8. campechano
9. adelantarse
10. licenciado

B. Escríbanse oraciones originales empleando las expresiones siguientes de tal modo que se revele el significado de la expresión:

1. cubrir de
2. portarse
3. ahora mismo
4. haga el favor de
5. entretanto

6. de ninguna manera
7. de un extremo a otro
8. según parece
9. en seguida
10. tenga la bondad de

C. Corríjanse las siguientes oraciones falsas:

1. Es curioso que para saber quién es su padre tenga Miguel que esperar a que lo diga su hermana.
2. César se acerca a su hijo y toma su brazo, que va apretando durante la lectura.
3. El artículo describe la influencia de Rubio sobre los destinos de México, hasta caer en una emboscada tendida por Pancho Villa.
4. El desilusionado Rubio gana ochenta pesos diarios enseñando la historia de la revolución.
5. El profesor Bolton declaró a los corresponsales extranjeros que

encontró a Rubio en una elegante casa aislada cerca del pueblo de Taxco.

6. El Partido Comunista investiga el caso por orden del Primer Magistrado de la Nación.
7. Elena les pide que empaquen pronto porque se van a Europa.
8. Penetran por la derecha Salinas, Garza y Treviño, todos presidentes municipales.
9. Rubio puede ser útil a su patria, la cual necesita como nunca hombres interesados.
10. Rubio fué desilusionado ante el triunfo de los demagogos y los falsos revolucionarios y se dedicó a una carrera militar.

D. Escríbase el tiempo futuro de los verbos que están escritos en bastardillas:

1. Él *publicar* una serie de artículos en el *New York Times*.
2. Tus hijos *saber* muy poco de ti.
3. Estas revelaciones *agitar* los círculos políticos.
4. ¿Qué *decir* Bolton al volver de México?
5. *Haber* investigaciones por orden del gobierno.
6. Yo *querer* saber si es la verdad.
7. Nosotros *salir* a las siete de la noche.
8. El licenciado Estrella *tener* instrucciones especiales.
9. Los visitantes *hacer* un saludo silencioso al entrar.
10. ¿No *volverse* él como picado por un aguijón?

E. Escríbase el tiempo progresivo presente de los verbos que están escritos en bastardillas:

1. ¿Qué *decir* los periódicos del reciente descubrimiento?
2. Miguel *leer* el artículo con voz blanca.
3. Guzmán *limpiarse* la garganta antes de hablar.
4. Todos *sentarse* a la vez.
5. ¿Por qué *reír* todo el mundo?
6. Es verdad que ellos *mentir*.
7. Los visitantes *pedir* una componenda.
8. Yo no *preocuparse* por su familia.
9. Nosotros no *dormir* bien por el calor.
10. Él *repetir* saludos banales al estrechar la mano de Elena.

F. Contéstense a las preguntas siguientes con oraciones completas:

1. ¿Cómo parece Miguel al entrar?
2. ¿Qué tiene en la mano?
3. ¿Cómo lee el periódico?
4. ¿Bajo qué título ha publicado Bolton su serie de artículos?
5. ¿Qué relata el primer artículo?
6. ¿Cómo son los documentos que reproduce?
7. ¿Qué efecto van a tener las revelaciones?
8. ¿Qué informes hay en el segundo artículo?
9. ¿Por qué no podía Bolton callar la identidad de César?
10. ¿Qué héroes no pueden equipararse a César Rubio?
11. ¿Quiénes investigan el caso por orden del Presidente?
12. ¿Cómo recibe Julia las noticias?
13. Según ella, ¿qué deben sentir de cómo se han portado con su padre?
14. ¿Qué les propone Elena?
15. ¿Qué desconcierta un poco a los recién llegados?
16. ¿Cuál de los cinco va a tratar el asunto?
17. ¿Cómo es él?
18. ¿Cómo son los otros?
19. ¿Qué hacen los visitantes al ser presentados a la familia?
20. ¿Por qué no dejan la sala Elena y Julia?

A. Escríbanse sinónimos de las palabras siguientes: **VII**

1. informes
2. alzar
3. retiro
4. obrar
5. aldea

6. pelear
7. disparar
8. meramente
9. poderoso
10. acordarse

B. Escríbanse oraciones originales empleando las expresiones siguientes de tal modo que se revele el significado de la expresión:

1. por ahí
2. a caballo
3. cada vez más
4. por lo tanto
5. dar al clavo

6. llevar a cabo
7. limpiarse la garganta
8. tratar de
9. por primera vez
10. por entero

C. Escríbase el tiempo condicional de los verbos que están escritos en bastardillas:

1. ¿Por qué no me *dejar* ustedes tan muerto como antes?
2. El pueblo *ser* el único que no necesitara pruebas.
3. Nosotros *pedir* un documento como acto de confianza.
4. Usted *comprender* nuestra insistencia si supiera para qué hemos venido.
5. Esta revelación *tener* un peso singular sobre los destinos políticos del país.
6. Yo no *ser* capaz de una cosa semejante.
7. El Primer Magistrado le *decir* otra cosa.
8. Ellos no *poder* sentarse.
9. Cada vez más él *ponerse* más dueño de sí.
10. Al reaparecer, usted *convertirse* automáticamente en el candidato ideal.

D. Sustitúyanse las palabras escritas en bastardillas con los pronombres posesivos correspondientes:

1. Le repito que *nuestras intenciones* son cordiales.
2. ¿Qué objeto persiguen ustedes al investigar *mi vida*?
3. ¿Por qué no nombra usted a alguien que conozca *sus problemas*?
4. No meta usted a *mis hijos* en estas cosas.
5. El padre de Guzmán sirvió a *su patria*.
6. Estoy seguro de que ahora él publicará *sus documentos*.
7. Déjenme acabar *mis días* en paz.
8. Venimos a discutir *nuestras cuestiones* que importan al Estado.
9. Nada tiene que ver con *mi opinión*.
10. Hay que dejar *su sitio* a los revolucionarios de hoy.

E. Contéstense a las preguntas siguientes con oraciones completas:

1. ¿Cómo se sitúa Miguel para ver la cara de su padre?
2. ¿Por qué se investigan las revelaciones del profesor Bolton?
3. ¿Por qué no le reconocen a César Rubio estos representantes del gobierno?
4. ¿Por qué no tiene César documentos para probar su identidad?
5. ¿Qué objeto persiguen los políticos al investigar su vida?
6. ¿Quiénes no tardarán en llegar para buscar pruebas?
7. Según Salinas, ¿qué modo de investigar es el más práctico?
8. ¿Quiénes podrán presionar a César?

EJERCICIOS

9. ¿A quién no debe meter Estrella en el caso?
10. ¿Quién recuerda las facciones de César?
11. ¿Qué saca del bolsillo para tender a César?
12. ¿Qué hay bajo la tapa posterior?
13. ¿De quién es el retrato?
14. ¿Qué sabe César del padre de Guzmán?
15. ¿En qué calle del pueblo nació César? ¿Cuándo?
16. ¿Cómo le llamaba todo el mundo al padre de Guzmán?
17. ¿Cómo murió el viejo coronel?
18. ¿Qué les falta por ver a los políticos?
19. ¿De qué está seguro César respecto al profesor Bolton?
20. ¿Qué dice César que causa sensación y protestas entre los políticos?
21. ¿Cómo muestra Elena su admirable instinto femenino?
22. ¿Qué pide Salinas que haga Treviño?
23. ¿Qué se prepara a llevar a cabo el Estado?
24. Según Estrella, ¿en qué se convierte César al reaparecer?
25. ¿Qué prefiere César al alejarse de la política?
26. ¿Por qué no tiene el derecho de hacerlo?
27. ¿Cómo puede salvar su Estado natal?
28. Según Guzmán, ¿qué va a continuar el precandidato Navarro?
29. ¿Por qué quiere Estrella que el pueblo elija entre dos o más candidatos?
30. Según César, ¿por qué puede rehusar el ofrecimiento de la comisión?

A. Escríbanse oraciones originales empleando las expresiones siguientes **VIII** de tal modo que se revele el significado de la expresión:

1. dar las gracias
2. contar con
3. por supuesto
4. soñar con
5. en torno a

6. todo a una carta
7. jugar a las canicas
8. hacia afuera
9. por favor
10. dar la espalda

B. Sustitúyanse las palabras escritas en bastardillas con los debidos pronombres personales en las siguientes oraciones, y después escríbanlas en el imperativo afirmativo y negativo:

1. CONTESTAR Uds. *a las preguntas.*
2. MIRAR Uds. *al ladrón.*
3. APRECIAR Ud. *su noble actitud.*

4. BUSCAR Ud. *la solución.*
5. PAGAR Ud. *la deuda al dueño.*
6. APRETAR Ud. *las manos.*
7. SABER Ud. *las leyes del gobierno.*
8. PEDIR Ud. *permiso a su padre.*
9. DAR Ud. *prueba a los diputados.*
10. DECIR Uds. *eso a los legisladores.*

C. Escríbase el modo subjuntivo de los verbos que están escritos en bastardillas, explicando las razones de su uso:

1. No deje usted que ellos le *decir* más.
2. Dígale que *venir* a verme.
3. Dudo que él nos *reconocer.*
4. No quiero que nosotros *equivocarse.*
5. Vale más que nadie *quedar* mal.
6. No sé a qué *referirse* usted, señor general.
7. Espero que el maestro *ir* a decirlo.
8. Puede ser que nosotros *llegar* a contar con su colaboración.
9. Siento mucho que ellos me *obligar* a separarme de usted.
10. Le ruego que no me *mezclar* usted en sus maniobras.
11. Tal vez yo también *poder* ayudar a su padre.
12. No estoy seguro de que ése *ser* su nombre.
13. Es necesario que usted lo *creer.*
14. Usted tiene que hacerlo aunque le *costar* la vida.
15. ¿No cree usted que yo *estar* demasiado viejo para gobernar?

D. Contéstense a las preguntas siguientes con oraciones completas:

1. ¿Qué le dijo por teléfono a Estrella el Presidente de la República?
2. ¿Qué nunca llevó a la revolución César Rubio?
3. ¿Qué mata siempre el poder?
4. Según Guzmán, ¿cómo es el general Navarro?
5. ¿De qué estaban de acuerdo en la última junta de presidentes municipales?
6. ¿A quiénes deben sueldos el gobernador y el general Navarro?
7. ¿Qué ve el Presidente en César Rubio?
8. ¿Qué ven los que son del mismo Estado?

9. ¿Qué nunca creyó César Rubio que la revolución debiera hacerse?
10. ¿Cuál es el criterio que anima al Presidente hacia la colectividad?
11. ¿Cuál es el impedimento insuperable a que se refiere César?
12. ¿Qué tiene que hacer César para ganar los plebiscitos?
13. ¿De qué carácter constitucional es el impedimento?
14. ¿Por cuánto tiempo ha residido César en el Estado?
15. ¿Cuál es la solución que propone Estrella?
16. ¿Para qué ha sido enmendada la Constitución Federal?
17. Según César, ¿cuál es la excepción cuando un candidato ha estado desempeñando un alto puesto federal?
18. ¿Qué empleo le alejó de su Estado natal?
19. ¿Por qué no puede tener una vida privada?
20. ¿Con qué ha soñado tanto tiempo?
21. Según Estrella, ¿qué debe recordar Elena?
22. ¿Por qué no grita ella la verdad?
23. ¿Cómo es Emeterio Rocha?
24. ¿Desde cuándo lo conoce a César?
25. ¿Qué grita la multitud que se acerca?
26. Al aceptar César, ¿cuál es el efecto sobre Elena, Julia y Miguel?
27. ¿A quién ve Julia al correr a la ventana?
28. ¿Qué pide el fotógrafo que haga César?
29. ¿Cómo es el ruido afuera?
30. ¿Cuál es la reacción de Miguel?

E. Proyectos escritos u orales:

¿Qué opina usted de la habilidad del dramaturgo al presentar en el segundo acto: (1) a más personajes de los que sean necesarios para el desarrollo de la intriga, y (2) más situaciones para el enredo del problema principal?

A. Escríbanse sinónimos de las palabras siguientes: IX

1. semejante   6. apoyo
2. único   7. rostro
3. desear   8. listo
4. junto a   9. acontecimiento
5. afectuosamente   10. plática

B. Escríbanse antónimos de las palabras siguientes:

1. suelo
2. pobreza
3. de cerca
4. fácil
5. tonto

6. mayor
7. lentamente
8. vacío
9. afuera
10. adelante

C. Escríbanse oraciones originales empleando las expresiones siguientes de tal modo que se revele el significado de la expresión:

1. máquina de escribir
2. echarse a la bolsa
3. todo el mundo
4. tener cuidado
5. reloj pulsera

6. reír a carcajadas
7. ponerse muy águilas
8. enamorarse de
9. despedirse de
10. ser pan comido

D. Escríbase el modo subjuntivo de los verbos que están escritos en bastardillas, explicando las razones de su uso:

1. Es preciso que usted *contar* con el apoyo del Centro.
2. Le ruego que me *informar* inmediatamente.
3. Me gusta que ellos *explicarse*.
4. Ojalá que el hombre no *ser* un impostor.
5. Ruegan que les *ofrecer* mi opinión muy franca.
6. ¿No están seguros de que *tener* él un magnetismo inexplicable?
7. Digan ustedes lo que *querer*.
8. Busco a alguien que *conocer* el precio del hombre.
9. Dígales que me *ver* en la plaza.
10. Les ruego que no *hacer* ninguna tontería.

E. Contéstense a las preguntas siguientes con oraciones completas:

1. ¿Cuánto tiempo pasa entre el segundo acto y el tercero?
2. ¿Qué hora es?
3. ¿Qué da a la sala el aspecto de una oficina provisional?
4. ¿Qué muestra el cartel desplegado?
5. ¿Qué hace Estrella?
6. ¿Qué les ruega el Presidente en el telegrama?

128   EJERCICIOS

7. Según Estrella, ¿por qué es César Rubio un hombre extraordinario?
8. ¿Por qué hay que tener mucho cuidado?
9. ¿De qué van a convencer a César primero?
10. ¿A qué hora deben empezar los plebiscitos?
11. ¿Por qué emite Guzmán un sonido de burla?
12. ¿Qué ha dicho el general Navarro por el pueblo?
13. ¿Cómo se volvería Navarro si viera un poco más de cerca al general Rubio?
14. ¿Cómo era el presidente del partido después de platicar con César Rubio?
15. ¿Por qué se ha operado en César una transfiguración impresionante en estas cuantas semanas?
16. ¿Cómo viste él?
17. ¿Cuál es el único lujo de su nueva personalidad?
18. ¿Por qué no se fija mucho en los telegramas?
19. ¿Qué informes hay en el telegrama del profesor Bolton?
20. Según César, ¿por qué es buena la carrera del político?
21. ¿Qué es la política, según él?
22. ¿Qué prefiere en esta vida?
23. ¿Dónde cuelgan el cartel?
24. ¿Con qué relaciona a uno la política?
25. ¿En qué sentido es el político el eje de una rueda?
26. ¿Cuál es la única paz del poder que se siente el político?
27. ¿Se parece el retrato a César Rubio?
28. ¿Quién lo hizo?
29. ¿Por qué no va la gente de afuera?
30. ¿Para qué viene el general Navarro, según Estrella?

F. **Proyectos escritos u orales:**

Búsquense cinco frases en esta escena que muestran el carácter filosófico de César Rubio respecto a la vida política.

A. **Escríbanse sinónimos de las palabras siguientes:**   X

1. a solas   6. partir
2. en realidad   7. apellidarse
3. rogar   8. aprehender
4. güero   9. rabia
5. lumbre   10. ocultar

B. Escríbanse oraciones originales empleando las expresiones siguientes de tal modo que se revele el significado de la expresión:

1. tener ganas
2. hacer antesala
3. no hay cuidado
4. estar pendiente
5. quemar cohetes
6. tapar el gallo
7. poner en ridículo
8. estar a tiempo
9. echar mano a
10. por dentro

C. Escríbase el tiempo imperfecto o pretérito de los verbos que están escritos en bastardillas, explicando las razones de su uso:

1. Ellos *saber* que él *querer* hablarle a solas.
2. Treviño *ser* el primero que *sentarse* sin hablar.
3. El general *estar* enterado de su visita.
4. ¿Quién *hacer* ademán de desenfundar?
5. Salas lo *obedecer* a regañadientes.
6. Se le *oír* subir la escalera.
7. Ellos *decir* que él siempre *ser* muy buen conversador.
8. Él *recordar* lo del crucifijo y los escapularios.
9. Navarro *acercarse* y *dar* un papirotazo al retrato.
10. Nosotros *ir* a probar que él no *ser* el general.
11. *Ser* un fracasado que nada *poder* hacer por sí mismo.
12. Cuando yo *salir*, *parecer* que *ir* a desmayarme.
13. Yo *creer* que ella *tener* miedo.
14. Él le *hacer* teniente porque *saber* robar caballos.
15. Al oír las voces, él *detenerse, retroceder* y *desaparecer* sin ser visto.

D. Contéstense a las preguntas siguientes con oraciones completas:

1. ¿Qué hacen Guzmán, Treviño y Salinas mientras esperan alineados?
2. ¿Cómo entra el general Navarro?
3. ¿Qué pide Estrella que haga él?
4. ¿Qué hace Navarro para probar que no viene armado?
5. ¿Qué plan de acción le explica a Salas antes de entrar César Rubio?
6. ¿Qué hace Navarro al mirar el cartel?
7. ¿Cómo se miden Navarro y Rubio al encontrarse frente a frente?
8. Según Navarro, ¿cuál es la única cosa que tiene César del general?

130 EJERCICIOS

9. ¿En qué sentido es diferente la politica del pueblo de la de la Universidad de México?
10. ¿Qué va a hacer Navarro en los plebiscitos?
11. Según César, ¿qué le debe contar Navarro al indio?
12. ¿Por qué cree que es el único César Rubio?
13. ¿Qué hace Miguel al oír las voces?
14. Según César, ¿por qué lo hizo a Navarro teniente el general Rubio?
15. ¿Por qué lo hizo divisionario el viejo caudillo?
16. ¿Qué se tomaba todas las noches para poder matar?
17. ¿A quiénes encuentra uno dondequiera?
18. ¿Por qué ha servido Navarro a los caudillos?
19. ¿Qué le han hecho en vez de aplastarle con el pie?
20. ¿Quién oyó la declaración: "No soy César Rubio"?
21. ¿Para qué sirven Navarro y los suyos, según César?
22. ¿Cuál es el destino que conoce ahora César?
23. ¿Cómo puede probar Navarro que César Rubio murió en 1914?
24. ¿Por qué no lo salvó Navarro?
25. ¿Qué hizo antes de matar a César Rubio para que no le temblara el pulso?
26. ¿Cómo ganó el rango de coronel?
27. Según César, ¿con qué objeto ha venido Navarro?
28. ¿Cuánto tiempo le da César para que se vaya del país?
29. Si no lo hace, ¿qué probará César?
30. ¿A quién desea Navarro que él llame? ¿Por qué?

E. Proyectos escritos u orales:

Hágase un análisis de esta idea filosófica de César Rubio: "Todos usan ideas que no son suyas; todos son como las botellas que se usan en el teatro: con etiqueta de coñac, y rellenas de limonada; otros son rábanos o guayabas: un color por fuera y otro por dentro."

A. Escríbanse oraciones originales empleando las expresiones siguientes de tal modo que se revele el significado de la expresión: **XI**

1. fiarse de
2. ¿Qué tienes tú?
3. enrojecerse
4. perder los dientes y las uñas
5. tener sed

6. hace un rato
7. una sola vez
8. tener hambre
9. olvidarse de
10. acercarse a

B. Vuélvanse a escribir las oraciones falsas en el ejercicio siguiente:

1. Un momento después se oye el ruido de automóviles en marcha.
2. Me recuerdas a la mujer de César . . . del español.
3. Siempre me pregunté antes por qué la muerte me había excluído de su juego.
4. Será como si te hubieras vuelto a casar con un hombre enteramente igual.
5. Cuando vuelva, serás la señora del senador.
6. ¿Y desde cuándo juzgan los padres a sus hijos?
7. Nunca podré oír ya el nombre sin enrojecer de timidez.
8. Le vendió papeles falsos para tener dinero con que llevarnos a una vida más feliz.
9. Nada es más grande que la mentira mediocre.
10. En la universidad acusabas a tu padre de ser un bandido.

C. Escríbase el modo subjuntivo de los verbos que están escritos en bastardillas, explicando las razones de su uso:

1. La mentira fué necesaria al principio, para que de ella *salir* la verdad.
2. Ahora siento como si yo *ser* otro hombre.
3. Era preciso que yo me *ver* en el espejo para creerlo.
4. Yo le suplicaba que él no *ir* al plebiscito.
5. No vayas a decirme que mintió por mí, para que yo *hacer* algo.
6. Le pedí que no *cometer* nada deshonesto.
7. Yo siempre dudaba que ellos *saber* la razón.
8. Si yo *tener* un hijo, le daría la verdad como leche.
9. Él pensaba que a su triunfo usted podría hacer lo que *querer* en la vida.
10. Yo no estaba seguro de que él *venir* con los políticos.
11. Pidió todo el mundo que él no *oponer* la idea.
12. ¿Qué haría usted, en su lugar, si sus hijos le *creer* un fracasado?
13. Era lástima que él me lo *decir*.
14. Ellos preferían que nosotros *sentarse* por un rato.
15. Ella no esperaba que él *poder* llegar a tiempo.

D. Contéstense a las preguntas siguientes con oraciones completas:

1. Según Miguel, ¿por qué estaba en la puerta?
2. Si Elena quiere hablarle a su esposo, ¿por qué tendrá que ser rápido?

132   EJERCICIOS

3. ¿Por qué no va Miguel con ellos?
4. ¿Cuándo va a alcanzarlos?
5. ¿Por qué evita hablar directamente a su padre?
6. ¿Por qué no se fía de Navarro el presidente municipal?
7. ¿Qué ruega Elena que no haga su esposo?
8. ¿Por qué habla él de la mujer de Julio César?
9. ¿Qué va a ser César si gana el plebiscito?
10. ¿Por qué quiere el poder?
11. ¿Qué harán Julia y Miguel si gana César?
12. ¿Qué clase de vida llevará Elena?
13. Si César es el eje en la rueda, ¿qué tiene que hacer?
14. ¿Cuál es la única inquietud que lleva consigo?
15. ¿Qué le dijo César a Elena cuando nació su hijo?
16. ¿Qué le pidió Miguel a su padre al llegar a esta casa?
17. ¿Qué ha oído Miguel?
18. Según el hijo, ¿en qué se apoyó su padre para satisfacer sus ambiciones personales?
19. ¿Por qué no quiere Miguel su triunfo?
20. ¿Cómo trata de probar Elena que su esposo es honrado?
21. ¿Qué hacía Miguel durante toda su infancia?
22. Según Elena, ¿por qué ha hecho César este crimen?
23. ¿Cómo le explica a Miguel que su padre no mintió?
24. ¿Qué haría Miguel si tuviera un hijo?
25. ¿Con qué había soñado siempre César?

A. Escríbanse sinónimos de las palabras siguientes: **XII**

1. vacilar
2. afán
3. lindo
4. injuriar
5. electo

6. sollozar
7. reflexionar
8. desvaríos
9. al cabo de
10. aclarar

B. Escríbanse antónimos de las palabras siguientes:

1. próximo
2. fealdad
3. cobarde
4. estúpido
5. inferioridad

6. aprobación
7. alegría
8. llorar
9. nacer
10. triste

C. Escríbanse oraciones originales empleando las expresiones siguientes de tal modo que se revele el significado de la expresión:

1. hacia atrás
2. u
3. de tal modo
4. en el fondo
5. por eso
6. acabar de
7. poco a poco
8. con voz blanca
9. saber de sobra
10. de modo que

D. Escríbase el modo subjuntivo de los verbos que están escritos en bastardillas, explicando las razones de su uso:

1. Le pido que lo *cuidar*.
2. Para mí, como *querer* que *ser*, papá será siempre un hombre extraordinario.
3. Para quien no *saber* que eras su hija, pudiste pasar por una enamorada de él.
4. Eres tan estúpido como si *ser* bonita.
5. Yo quisiera que usted *ver* al Presidente ahora mismo.
6. Él busca la verdad con fanatismo, como si no *existir*.
7. Les dije que no le *hacer* caso.
8. Ella abre los brazos de modo que *tocar* los dos extremos del marco.
9. Le ruego que *tranquilizarse*, señor.
10. No quiero nada, hija mía, sino que él *vivir*.
11. Es preciso que ellos no lo *eligir*.
12. Prepararé su ropa cada mañana, con tal forma que él no *poder* tocar su corbata sin sentirme.
13. Que lo *derrotar* e *injuriar* ellos, aunque lo *denunciar*.
14. Quiero que *morir* el fantasma.
15. Dígale al pueblo que lo *hacer* pedazos.
16. Dudaba que él *atreverse* a presentarse aquí.
17. Estoy dispuesto a defenderme hasta que *probarse* mi inocencia.
18. Le levantaremos un monumento que lo *recordar* a las futuras generaciones.
19. No creo que su cuerpo *pertenecer* al pueblo.
20. Cuando *calmarse* usted, comprenderá cuál es su verdadero deber.

E. Contéstense a las preguntas siguientes con oraciones completas:

1. ¿Cómo sabe Julia que Miguel oyó la conversación entre su padre y Navarro?

134   EJERCICIOS

2. Según Miguel, ¿qué le dará el heroísmo de César Rubio a Julia?
3. ¿Cómo la lastima Miguel?
4. ¿Por qué no recuerda nada de la conversación con Navarro?
5. ¿Cómo amenazó Navarro a su padre?
6. ¿Qué hora es al salir corriendo Miguel?
7. Mientras Elena parece una estatua, ¿qué hace Julia?
8. ¿Qué le importará a Julia más que los trajes y las joyas?
9. ¿Desde cuándo no quiere Julia a ese muchacho?
10. ¿Qué amaba en él?
11. ¿Por qué es preciso que no elijan a César?
12. ¿Cómo preparará Julia la ropa de su padre?
13. ¿Qué noticias le lleva Guzmán a Elena?
14. ¿Cómo mataron al hombre que disparó?
15. ¿Cómo llora Julia?
16. Según Navarro, ¿quién fué el asesino?
17. ¿Qué se encontraron en su cuerpo?
18. ¿Por qué hay un murmullo hostil entre la multitud?
19. ¿Con qué intención iba Navarro al plebiscito?
20. ¿Qué dijo que causó un clamor de aprobación entre la gente?
21. ¿Qué pide Elena que haga Miguel?
22. ¿A quién ha informado Estrella del triste suceso?
23. ¿Dónde reposará el cuerpo de César?
24. ¿Qué prefiere Elena?
25. Según Miguel, ¿por qué mataron al asesino los de Navarro?
26. Si Miguel insiste en gritar la verdad, ¿qué hará Navarro?
27. ¿En qué sentido es Miguel el mejor defensor de Navarro?
28. ¿Qué hace Miguel con el cartel de su padre?
29. ¿Cómo se abre el rollo de carteles que empuja con el pie?
30. ¿Qué va a perseguirlo toda la vida?

F. **Proyectos escritos u orales:**

¿Qué opina usted de la habilidad del autor al presentar en el tercer acto: (1) el desenlace de la intriga y (2) la solución del problema?

Proyectos Generales

I. Hágase un resumen breve del argumento de la comedia.

II. Prepárese una crítica de la obra desde los siguientes puntos de vista:

(1) el tema o asunto
(2) los personajes
(3) el ambiente o la escenografía
(4) las ideas o los sentimientos
(5) el estilo
(6) la estructura
(7) su juicio final

III. ¿Qué opina usted de estos dos propósitos del autor de esta tragedia mexicana?

(1) *El Gesticulador* es una sátira acerca de la política provinciana de México.

(2) *El Gesticulador* es una sátira acerca del fracaso de la hipocresía como heroísmo.

IV. Analícese la situación siguiente:

¿Quién tiene más culpa de la muerte de César Rubio?

Hágase una lista por orden de responsabilidad de los culpables, justificando sus razones:

1. César Rubio por su fanatismo hacia el heroísmo.
2. Oliver Bolton por su insistencia en solucionar un problema ajeno.
3. El general Navarro por su crueldad y falta de escrúpulos.
4. Guzmán, Estrella y los diputados locales por su determinación de crear un héroe revolucionario de un impostor.

Vocabulario

Vocabulario

Abbreviations:

adj. adjective	*Mex.* Mexican
adv. adverb	*mil.* military
Am. American	*n.* noun
coll. colloquial	*pol.* political
conj. conjunction	*p.p.* past participle
f. feminine	*pl.* plural
Fr. French	*pres. ind.* present indicative
gram. grammatical	*pres. p.* present participle
inf. infinitive	*pron.* pronoun
interj. interjection	*sing.* singular
m. masculine	*theat.* theatre

From this vocabulary the following items have been omitted: regular forms of verbs and irregular forms of the most commonly used verbs; regular past participles provided the infinitive is given; personal pronoun objects, possessive adjectives and pronouns, reflexive and subject pronouns; some proper names that require no translation or explanation; words which occur only once and are explained in the Notes; exact cognates; adverbs in *-mente* when the adjective is given. Otherwise, the vocabulary is intended to be complete. Idiomatic expressions are listed under the key word of the idiom. If the gender of nouns does not appear, those nouns ending in *-o* are masculine and those ending in *-a, -ión, -dad, -ez, -tad, -tud,* and *-umbre* are feminine. In the case of adjectives, only the masculine form is given, unless the feminine is irregularly formed. Radical-changing verbs are indicated in parentheses after the infinitive in the following way: Class I: *cerrar (ie), contar (ue)*; Class II: *sentir (ie, i), morir (ue, u)*; Class III: *pedir (i)*. Prepositions that generally accompany certain verbs are given in parentheses after the infinitive or after past participles if shown separately. The dash (—) is used to refer to the first entry.

A

a to, at, in, on, from, by
abajo below; **hacia** — downward
abandonar to abandon, leave; —**se** to give up; to despair
abanicar to fan
abanico fan
abatimiento depression; low spirits
abierto (*p.p.* of **abrir**) open, opened
abogado lawyer
abrazar to embrace
abrir to open
absolutamente absolutely
absorto amazed; absorbed in thought
abstención abstention
abstraído absent-minded; retired, withdrawn (mentally)
absurdo absurd, ridiculous
A.C. Before Christ
acá here; **desde entonces** — since then, since that time; **por** — here, hereabouts; this way
acabar to end, finish, eliminate; to wind up (grow old, end one's days); — **con** to do away with; — **de** + *inf.* to have just + *p.p.;* — **por** to end by
acaecer to happen, come to pass
acariciar to caress, stroke
acarrear to cause; to occasion
acaso perhaps
accidente *m.* accident; **por** — by chance
acción action
acento accent
acentuar to accentuate, emphasize
aceptar to accept
acerca de about, with regard to
acercar to move (bring) near; —**se** (**a**) to approach, draw near (to)
aclarar to make clear, explain, clarify
acoger to receive; —**se** (**a**) to take refuge (in); to resort (to)
acometer to attack; to undertake
acomodar to accommodate; to arrange
acomodo employment, job, situation
acompañar to accompany, go with; **acompañado de** accompanied by

aconsejar to advise
acontecimiento event, happening
acordarse (**ue**) (**de**) to remember
acorralado corraled, surrounded
acostar (**ue**) to lay down; to put to bed; —**se** to go to bed, lie down
acostumbrar(se) a to be accustomed to
acta act or record of proceedings
actitud attitude
acto act; **en el** — immediately
actual real, actual; current, present, of the present time
actuar to act; to perform
acuerdo agreement; determination; **estar de** — to be in accord with; **¿de** —**?** agreed? O.K.?; **de** — **con** in agreement with, in accordance with; **ponerse de** — to agree
acumular to accumulate
acusación accusation
acusar to accuse
adaptar to adapt, fit
adecuado adequate
adelantar to bring closer, advance, move forward; —**se** to step forward, move ahead of; to take the lead
adelante forward, ahead, up ahead; **más** — later; farther on
ademán *m.* gesture, look, movement; attitude, manner
además (**de**) besides, furthermore
adentro inside, within
adiós good-bye
adivinar to guess
adjetivo adjective
admirar to admire; —**se** to wonder
admitir to admit
adobe *m.* a brick baked in the sun
¿adónde? (*adv.*) where?
adular to flatter
advertir (**ie, i**) to advise; to warn; to notice, observe
afán *m.* eagerness, anxiety
afectar to affect, have an effect on
afectuosamente affectionately
afilado sharp, keen, thin
afirmación affirmation, statement
afirmar to affirm, assert, contend
afirmativo affirmative

142

afligirse to grieve; to become despondent

aflojar to loosen, slacken, relax, let loose

afuera out, outside; **hacia —** out

agarrar to grasp, seize, clench

agitación agitation

agitar to agitate, stir up; to wave; **—se** to get excited

agradable agreeable, pleasing, pleasant

agradar to please, like

agradecer to thank for; to be grateful for

agrario agrarian

agravar to aggravate

agrupar(se) to group; to cluster (about)

agua (*f. but* el) water

aguardar to wait (for); to expect

aguijón *m.* sting (of insect)

águila (*f. but* el) eagle; insignia of a Mexican general; **ponerse muy águilas** to be on the lookout (or watch) like an eagle

¡ah! oh! ah! (*interj. expressing surprise*)

ahí there; **por —** somewhere around here; that way; over there

ahogar to stifle, choke, drown out

ahora now; **— mismo** right now; **hasta —** up to now

ahorrar to save, economize; to spare

ahorros savings

aire *m.* air

aislado isolated

aislamiento isolation

ajeno strange, foreign; another's

al (a + el) at the, to the; **— +** *inf.* upon + *pres. p.*

ala (*f. but* el) wing

alcanzar to overtake, reach, attain, get; to suffice, be enough; **— a +** *inf.* to succeed in + *pres. p.*

aldea village

alegrarse to be happy, glad

alegre happy, merry, joyful, gay

alegría happiness

alejar to take away, separate, send away; **—se** to move away

alentar (ie) to encourage, inspire

alerta (*adv.*) carefully, vigilantly, **on** guard; **estar —** to be on the alert

alerto (*adj.*) alert, vigilant

Alesia Alais, *French city*

algo something; somewhat; **por —** with reason, rightfully

algodón *m.* cotton

alguien someone, somebody

algún (*used for* **alguno** *before a m. sing. n.*)

alguno some, any; somebody

aliar(se) to form an alliance; to ally

aliento breath; **sin —** out of breath; **tomar —** to catch one's breath

alimentar to feed, nourish; to cherish

alinear to align, form a line, line up

alivio relief

alma (*f. but* el) soul

alojar to lodge

alrededor (de) around, about; **a mi —** around me

alterar to alter, change, transform

alternativamente alternatively

altivamente loftily, haughtily

alto tall, high; important; upper; **a lo —** de to the top of; **en —** up high; **en voz alta** aloud, out loud

altura height, altitude

aludir to allude, refer

alzar to raise; **—se** to rebel, rise up

allá there; **más —** farther; **más — de** beyond; **— usted** that's up to you, that's your business

Allende San Miguel Allende, formerly called Allende, about 270 miles north of Mexico City

allí there; **por —** over there, around there

amar to love

amargo bitter

amargura bitterness

amarrado tied, fastened, caught

ambición ambition

ambicioso ambitious

ambiente *m.* atmosphere, environment

ambos both

amenaza threat; menace

amenazador menacing, threatening

amenazar to threaten; to menace

americano American

amigo friend
amistad friendship
amo master
amontonar to heap or pile up; to accumulate indiscriminately
amor *m.* love
amoroso affectionate, loving; pleasing
ampliar to amplify, extend, enlarge
amplio ample, roomy, extensive, large
análisis (*m. or f.*) analysis
analizar to analyze
anciano old, elderly, elder
andar to walk, go (along); to run; **anda** go on; — **a salto de mata** to flee and hide; to throw off the track; — **buscando** to go around looking for
ángulo angle; corner (room)
angustia anguish, affliction, distress
angustiado anguished
angustioso full of anguish
anhelante eager, deeply desirous
anillo ring
animar to animate, enliven, comfort, encourage
ánimo spirit, soul; courage, valor
anoche last night
ansiedad anxiety
ante before
antecedente *m.* precedent; **malos —s** bad record
anterioridad priority; **con —** previously, beforehand
antes (de) before, previously
antesala antechamber, waiting room; **hacer —** to be kept waiting, dance attendance
anticipar to anticipate; **—se** to wait; to act ahead of time
antiguo old, ancient
antónimo antonym
anunciar to announce
añadir to add, join
año year
apaciguar to appease, pacify, calm
aparecer to appear
aparentemente apparently
apariencia appearance; **en —** apparently

apartar(se) to retire, withdraw; to separate, divide; to remove; to sort
aparte aside; besides, other than
apasionar to impassion, become passionately fond
apear to bring down; to fell; to belittle
apego attachment, fondness
apellidarse to be called by the last name
apenar to cause pain, sorrow; to grieve
apenas hardly, scarcely
aplastar to flatten, crush, smash
aplauso applause
apostar (ue) to bet
apoyar to support, brace; **—se** to lean
apoyo support, backing; approval
apreciar to appreciate
aprehender to apprehend, seize
apremiante urgent, pressing
aprender to learn
apresuradamente hastily, quickly
apresurarse a to hasten to
apretar (ie) to tighten, squeeze, clench
aprobación approval
aprobar (ue) to approve
aprovechar to be useful, profitable; **—se de** to avail oneself of, to capitalize on
aquel, aquella that; **aquellos, aquellas** those
aquél, aquélla that one; he, the former; **aquéllos, aquéllas** those
aquí here
arar to plow, work the soil
arco arch
argumento argument; summary; plot (of a play, etc.)
arma (*f. but* **el**) arm, weapon
armar to arm
armonizar to harmonize; to bring harmony
arquear to arch; — **las cejas** to raise one's eyebrows
arqueológico archaeological
arquitecto architect
arrancar to pull out, tear out
arrastrar to drag (along)

arrebato rapture; surprise; fit, rage
arrebol *m.* red sky or clouds
arreglar to arrange; to fix
arreglo arrangement, settlement
arrepentimiento repentance
arrepentirse (ie, i) to repent, be sorry
arriba above; upstairs; **hacia —** upward; **más —** higher up
arriesgar to risk, endanger
arrinconar to put away, lay aside
arrojar to throw (down), cast out
arruinar to ruin
arte (*m. and f. but* **el**) art; skill; craft
artículo article
asalto assault, attack
ascenso promotion
asear(se) to clean (up), wash
asegurar to assure, assert, affirm; **—se de** to make sure of
asesinar to assassinate
asesinato assassination
asesino assassin
asfixiar to asphyxiate, suffocate
así thus, so, in this way; **— como** just as; **— que** as soon as
asiento seat
asistente *m.* assistant, helper; orderly (*mil.*)
asociar to associate; to join
asomar(se) a to look out of; to peep into; to put out (as one's head out the window)
aspecto aspect, appearance
asunto matter, affair
asustar to frighten, scare
atacar to attack
ataque *m.* attack; **en plan de —** on the offensive
atareado busy
atención attention
atender (ie) to attend to, take care of
atentar (ie) to attempt
atestiguar to depose, witness; to prove, give evidence
atmósfera atmosphere
atormentar to torment, torture
atractivo attractive
atraer to attract, allure, charm
atrás behind, in back, past, ago; **de tiempo —** for a long time; **hacia —** backwards

atravesar (ie) to cross
atreverse (a) to dare (to)
atribuir to attribute
atronador thundering, deafening
atusar to smooth, comb (the hair)
aun (*written and pronounced* **aún** *when stressed*) still, even, yet
aunque although, even though
auténtico authentic; genuine, legitimate
automático automatic
automóvil *m.* automobile, car
autor *m.* author; perpetrator
autoridad authority; **allá las autoridades** that's up to the authorities
Auvernia Auvergne, *district in France*
avanzar to advance
avergonzar (ue) to shame, abash, confound; **—se** to be ashamed
averiguar to ascertain, determine
avisar to notify, inform
ayer yesterday
ayuda help, aid
ayudante *m.* assistant; adjutant, aide-de-camp
ayudar to help, assist
azul blue

B

baja casualty
bajar to go down; to lower
bajeza meanness; lowliness
bajito very low, short
bajo under, beneath; low, short
balacera skirmish; shooting scrap
balazo shot; **deshacer a balazos** to shoot to pieces or bits
balde: en — in vain
bandido bandit
bandolero highwayman, robber
baño bath; bathroom; **— de sol** sunbath
barato cheap, inexpensive
barba beard; chin; whiskers
barrer to sweep (away)
base *f.* base; basis
bastante enough; considerable; rather; **—s** several, many
bastar to be enough, be sufficient; **¡basta!** that will do; stop!

bastardillas italics
basurero dunghill, garbage heap
batalla battle
bebedor *m.* drinker
beber to drink; —se to drink up
beca fellowship
bejuco rattan
belleza beauty
bello beautiful
besar to kiss
bien well, good; very; **más** — rather;
 o — or else; otherwise; **pues** — well
 then; **y** — now then, well; — *m.*
 welfare
bigote(s) *m.* moustache; — **de guías
 a la kaiser** handlebar moustache *in
 the style of the moustache worn by
 Kaiser Wilhelm (William) II of
 Germany during World War I*
billete *m.* bill (money)
blanco white; **voz blanca** dazed voice
blandir to flourish, wave
boca mouth
bocado mouthful, morsel, bite, bit
boda wedding, nuptials
bofetada slap in the face
bolsa bag, pouch; pocket
bolsillo pocket
bondad kindness; **tenga la — de ...**
 please . . .
bonito pretty, fine, nice
borrar to erase
botella bottle
botín booty, spoils of war
brazo arm
breve brief, short, slight
brillante brilliant, bright, shining
brindar to drink a person's health,
 toast; to offer, present
brusco rude, rough, crude
buen (*used for* **bueno** *before a m.
 sing. n.*)
bueno good; well, all right
burdo coarse, common, ordinary
burgués *m.* bourgeois: characteristic
 of the middle classes
burla mockery, joke, jest, scoff
burlarse (de) to mock, laugh (at),
 make fun (of)
burlono bantering, jesting, scoffing
burócrata (*m. and f.*) bureaucrat

buscar to look (search) for; **en busca
 de** in search of
búsqueda search

C

caballero gentleman
caballo horse; **a** — on horseback
caber to be room for; to fit, be appropriate or applicable
cabeza head; reason (intelligence);
 con la — with a nod (of the head)
cabo end; **al** — **de** at the end **of**;
 llevar a — to carry out
cacique *m.* chief, "boss"
cada each, every; — **quien** everybody;
 — **uno** everybody; — **vez** every time
cadáver *m.* corpse
caer to fall; —se to fall down; **dejar**
 — to drop or let fall; — **bien
 (mal)** to create a good (bad) impression, to be well (unfavorably)
 received; — **de espaldas** to fall
 backwards
caja box; case
cajón *m.* large box; large case
calar to pull down (the hat); —se to
 put on
calidad quality; rank
cálido warm; piquant; crafty
calmar to calm, pacify; —se to quiet
 down
calor *m.* heat; **hacer** — to be warm
 (weather); **tener** — to be warm
 (person)
calumnia slander, lie, malicious gossip
calumniar to slander
callar(se) to silence; to keep silent
calle *f.* street
cama bed
camarada (*m. and f.*) comrade, companion, pal
cambiar to change; to barter; to exchange
cambio change; exchange; **a** — **de** in
 exchange for; **en** — on the other
 hand; in exchange
caminar to travel, move, go, walk
camino road, path; way; **ponerse en**
 — to start out

146

camisa shirt; **en mangas de** — in shirt-sleeves
campechano frank; generous
campo field; country
candidato candidate
candidatura candidacy; (*pol.*) slate, list of candidates
canicas marbles; **jugar a las** — to play marbles
cansado tired
cansar to tire, fatigue, worry
cantar to sing
cantidad quantity, amount
canto song; division of a long poem
capacidad capacity; ability
capaz capable, able
capital *m.* capital (money); *f.* capital city
capitalino from or pertaining to the capital (city)
capitán *m.* captain
captura capture, seizure
capturar to capture, apprehend; to arrest
cara face
carácter *m.* character; **mantenerse en** — (*theat.*) to keep in character
característico characteristic, typical
carcajada outburst of laughter; **reír a** —**s** to laugh loudly, guffaw
carecer (de) to lack, not to have
cargar to load, fill; to carry; to charge; — **con** to carry (off)
cariño love, affection
caro dear; (*adv.*) dearly, at a high cost or price
carrera career; race; **a la** — at full speed
carretera highway
carro car, automobile
carta letter; **todo a una** — playing it to the hilt, putting all of one's eggs in one basket
cartel *m.* poster, placard
cartera wallet, pocket-book; portfolio
cartero postman
cartucho cartridge
casa house, home; **en** — at home
casar(se) to marry; — **con** to get married to
cascarón *m.* shell

casi almost
casimir *m.* cashmere
caso case; **en todo** — anyway; **hacer** — **de** to pay attention to; **no tiene** — there's no point, what's the use of
castigo punishment; penalty; reproach
casualidad chance; **por** — by chance or accident
cátedra professorship; **la costumbre de la** — the professorial impersonal way of speaking to make matters more objective
categoría category, class; **de** — **of** rank, of estimable qualities
católico Catholic
caudillo commander, chief, leader
causa cause, reason; **a** — **de** because of
causar to cause
ce *f.* name of the letter *c;* **pronunciar la** — to speak with the Castilian accent
ceder to yield, cede, give up, submit
cegador blinding
ceja eyebrow
celebrar to celebrate; to hold (formal meeting)
célebre celebrated, famous, renowned
celos jealousy; suspicions; **tener** — (**de**) to be jealous (of)
cemento cement
cenar to dine, have supper
centavo cent
centenario centenary; centennial
centro center; **Centro** headquarters
cerca near; — **de** near, nearby; **de** — closely, close at hand
cerciorar to assure, affirm; —**se to** make sure
cerillo wax match
cerrar (ie) to close, shut; — **el paso** to block the way
cerro hill
certeza certainty
cerveza beer
ciego blind
cien (*used for* **ciento** *before a modified noun*)
ciento hundred; **por** — percent
cierto certain, true; **por** — to be sure,

certainly; **a ser —** should this fact or event be true
cifra figure, number
cigarro cigarette; **— de hoja** hand-rolled cigarette; **— de papel** manufactured cigarette
cinco five
cincuenta fifty
cintura waist
cinturón *m.* belt
circo circus
círculo circle
cita appointment, engagement, "date"
citar to make an appointment or "date"; to summon; to quote
ciudad city
civil *m.* civilian
clamoroso clamorous, loud
claro clear, frank; distinct; of course
clase *f.* class, kind
clavar to nail, drive in, fix, fasten in, stick
clave *f.* key of a code; **telegrama en —** telegram in code
clavo nail; **dar al —** to hit the nail on the head
claxon *m.* claxon, horn
clima *m.* climate
cobarde coward; cowardly
cobardía cowardice
cocina kitchen
coche *m.* car
códice *m.* codex (old manuscript)
cofia hair net, cowl
coger to catch, grab, take
cohete *m.* firecracker, skyrocket; **quemar —s** to shoot firecrackers
coincidir to coincide
colaboración collaboration, working together
colaborar to collaborate
colectividad collectivity; mass of people
colectivo collective
colega *m.* colleague
colgar (ue) to hang
colmo limit, height (of folly); climax
colocar to arrange, put in due place or order; to place
comandante *m.* commander; commandant; major
combate *m.* combat, fight

combinación combination
comedia comedy, play, drama
comedor *m.* dining room
comentar to comment
comentario commentary
comenzar (ie) to commence, begin
comer to eat; **—se** to eat up
cometer to commit
comicios (*pol.*) primaries; district assemblies
cómico funny, comical
comisión commission; committee; assignment
comisionado commissioner
como as (if), like; **así —** just as; **— que** apparently
¿cómo? how? why? what?
comodidad comfort; convenience; freedom from want
cómodo comfortable
compadre *m.* friend, pal; chap; protector, benefactor
compañero companion
competencia competition; competence
completar to complete
completo complete; finished; **por —** completely
componenda arbitration; settlement; compromise
comprar to buy
comprender to understand, realize
comprometer to compromise
compromiso compromise, arbitration
común common
comunicar to communicate; **— con** to lead into
comunicativo communicative, talkative
comunista (*m. and f.*) communist
con with; **para —** towards, to, for
concatenar to concatenate, chain or link together
conceder to give, bestow, grant, concede, admit
concentrado concentrated
concepto concept, thought, idea
conciencia conscience; consciousness
condición condition
condicional conditional
condiscípulo schoolmate, fellow student
condolencia condolence, sympathy

conducir to lead, direct; to carry; to take

conducta conduct, behavior

conferir (ie, i) to confer, give, bestow, award

confesar (ie) to confess

confesión confession

confianza confidence

confiar en to rely on, trust in

confidencial confidential

conflicto conflict

conforme alike; as, while; corresponding; accordingly; — **con** resigned to; in agreement with

confortable comfortable

confundir to confuse

confuso (*p. p. of* **confundir**) confused; obscure, doubtful

conmigo with me

conmover (ue) to touch, appeal to; to disturb, agitate, excite

conocer to know, recognize; to meet; to be acquainted with

conocimiento knowledge

conque so then, and so

conquistar to conquer, win over

consciente conscious; aware

consecuencia consequence; **a — de** because of

conseguir (i) to obtain; to attain; to succeed in

consejo counsel

conservador conservative

considerar to consider, think over; to treat with respect

consigo with himself, herself, yourself, themselves

consistir to consist; — **en** to consist of

consolar (ue) to console, comfort, cheer

conspiración conspiracy, plot

conspirar to conspire, plot

constar de to be composed of, consist of

constitución constitution

constitucional constitutional

constitucionalista constitutionalist

construcción construction

consultar to consult, discuss

contacto contact

contagiar to infect, spread by contagion

contar (ue) to count; to tell; — **con** to depend on

contemporáneo contemporary

contener to contain, hold, curb

contenido self-controlled, restrained

contento content, happy, satisfied

contestación answer, response

contestar to answer, respond

contigo with you

contingencia contingency

contingente *m.* contingent; share

continuar to continue

continuismo (*Mex.*) *slang term to define the tendency of politicians to continue in power through men of their own whom they help to be elected President or Governor*

contonearse to strut, walk with an affected air

contra against

contrariedad contrariness; contradiction; disappointment; obstacle

contrario contrary, opposite; **al —** on the contrary

contrastar to contrast

convalecencia convalescence

convencer to convince

convencional conventional

conveniencia convenience; advantage; self-interest

convenir to be convenient, fitting, proper, right; to suit; — **en** to agree upon (to)

conversación conversation

conversador talkative; conversationalist

conversar to converse, talk

convertir (ie, i) to convert, change; —**se en** to become

coñac *m.* cognac, brandy

copiar to copy; to imitate

corazón *m.* heart

corbata tie, cravat

coronel *m.* colonel

corregir (i) to correct

correr to run; to flow; to circulate; to chase; — **peligro** to run the risk, be in danger

correspondencia correspondence

corresponder a to match; to fit; to suit; to pertain, belong to

correspondiente corresponding, respective; agreeable; suitable
corresponsal *m.* correspondent
corromper to corrupt; to rot; to bribe
cortar to cut, cut off, interrupt
cortejar to court, woo, make love to
cosa thing; matter
costar (ue) to cost; **me cuesta salir** it grieves (hurts) me to leave
costumbre custom; **tener — de** to be accustomed to
crear to create, make, design; to institute
crecer to grow
creciente growing, increasing
creencia belief
creer to believe; **ya lo creo** yes indeed
crimen *m.* crime
crisis *f.* decisive moment, crisis
crisol *m.* crucible
criterio criterion; judgment
crítica criticism, critique
criticar to criticize
crítico critical
crucifijo crucifix
crueldad cruelty
cruzar to cross; to exchange
cuadro picture
cual which, what; like, as; **el —, la —, lo —, los cuales, las cuales** who, which; **tal por —** so and so
¿cuál? which (one)? what?
cualidad quality
cualquier (*used before a sing. n. for* **cualquiera**)
cualquiera any (one) at all; **de cualquier modo** at any rate
cuando when; **de vez en —** from time to time; **— menos** at least
¿cuándo? when?
cuanto as much as; *pl.* as many as; all that; all those; **— antes** immediately, without delay; **en —** as soon as; **en — a** as for, with regard to; **unos —s** some, few, a few
¿cuánto? how much? **¿cuántos?** how many?
cuarenta forty
cuarto room; fourth; quarter
cuatro four

cubierto (*p. p. of* **cubrir**) covered; *m.* place at the table
cubrir to cover
cuello neck; collar
cuenta bill; report; account, **dar — de** to account for (actions), to report to; **darse — de** to realize
cuentista (*m. and f.*) short story writer
cuento story
cuerpo body
cuestión question (for discussion); problem; matter
cuidado care, caution; worry; **tener — to** be careful; **no hay —** there's no danger; **mucho —** look out, be careful
cuidar (de) to take care of, care for
culpa fault; guilt; blame; **echar la — a** to blame; **tener la — (de)** to be to blame (for)
culpable guilty
cultura culture
cumplir (con) to fulfil, carry out; **to** keep (a promise)
curar to cure, heal
curiosidad curiosity
curioso curious
cutáneo cutaneous, of the skin
cuyo whose, of whom, of which

CH

chamba (*coll.*) a good job usually well paid, obtained by favor and implying no serious work
chantage (*Fr.*) blackmail
charlatán *m.* quack, humbug, charlatan
chico little, small; a little boy; **de —** as a little boy
chino Chinese

D

dama lady, dame; a noble or distinguished woman; **— de la novia** bridesmaid; **así les pasa en las bodas a las damas de la novia.** The bridesmaids imagine that they **are**

the bride and anticipate mentally the consummation of their own marriage.

daño harm; **hacer —** to hurt

dar to give; to cause (shame, grief); to inspire (*theat.*); **—** **a** to open on, overlook; **— al clavo** to hit the nail on the head; **— cuenta de** to account for (actions), to report to; **— fin** to end; **— fuego** to give a light (cigarette); **— la espalda** to turn one's back; **— las gracias** to thank; **— media vuelta** to turn halfway around; **— miedo** to frighten; **— muerte** to kill; **— principio a** to begin, start; **— un paso** to take a step; **—se cuenta de** to realize, to notice; **¿y qué me da?** what do I care?

dato datum, fact; *pl.* data

de of; from; about; with

debajo (de) under, below

deber to owe; must, should, ought; **—** *m.* duty, obligation

debido proper; **— a** owing to, on account of, due to

débil weak

debilitar to weaken

decente decent; honest; kind; nice

decidido determined

decidir(se) (a) to decide (to)

decir to say, tell; to express, show; to assume; to name, give a name; **es —** that is to say

decisivo decisive, final

declamar to declaim, recite

declaración declaration, statement

declarar to declare

dedicar to dedicate; to devote

dedo finger; toe

defender (ie) to defend, protect

defensa defense; protection

defensor *m.* defender; supporter

definir to define

definitivo definitive, decisive

dejar to let, allow; to leave, abandon; **— caer** to let fall or drop; **— de** to stop, cease; to fail to; **no me deja hablar la risa** I can't talk for laughing; **no podría — de ir más que muerto** I could only fail to go

if I were dead; **se deja hacer** she lets herself be caressed; **déjame** leave me alone

del (de + el) of the; from the

delante (de) in front (of); **por —** in front, ahead

delegado delegate

delgado thin, lean, slender, slim; delicate

deliberadamente deliberately

delirio delirium; frenzied rapture

demagogo demagogue

demás other; **los —** the others, the rest of them

demasiado too, too much, too well; *pl.* too many

democracia democracy

demócrata *m.* democrat

democrático democratic

demonio devil

demostrar (ue) to demonstrate, prove, show

demudado changed in color or expression

dentro (de) within, inside of; **por —** inside, on the inside

denunciar to denounce; to reveal

depender (de) to depend (on)

deportivo athletic, sport

deposición deposition, removal

derecho right; straight ahead; **a la derecha** to the right

derramar to shed, spill

derrota defeat

derrotar to defeat, overcome; to ruin

desafiante defiant

desafío challenge; duel; struggle

desagradable unpleasant, disagreeable

desaliento dismay

desamparado forsaken; helpless, needy

desamparo abandonment; helplessness

desaparecer to disappear

desaparición disappearance

desarrollar to develop; to unroll, unfold; to promote, improve

desarrollo development; unfolding; unwinding

desasir to let go, loosen, give up

desastre *m.* disaster
descalzo barefoot
descaro impudence, effrontery
descifrar to decipher, make out
descolgar (ue) to take down
descomposición decomposition; disagreement; breakdown
descompuesto (*p. p. of* **descomponer**) out of order; broken down; upset, disturbed
desconcertado disconcerted; disorderly, confused
desconcertar (ie) to disturb, confuse
desconfianza distrust
desconfiar (de) to mistrust, be distrustful (of), have no confidence (in)
desconocer to refuse to recognize, withdraw recognition, disregard
desconocido unknown person, stranger
descontento discontent
describir to describe
descubrimiento discovery
descubierto (*p. p. of* **descubrir**) uncovered, exposed
descubrir to discover, reveal, uncover
descuido negligence, thoughtlessness
desde from, since — **hace** for, since; — **luego** of course, immediately; — **que** since, ever since
desdoblar to unfold
desear to desire, want, wish
deseo wish, desire
desempeñar to redeem; to perform, discharge (a duty); to fill (an office)
desenfundar to unsheathe, take out of a sheath or bolster
desengaño disillusion, disappointment
desenlace *m.* dénouement, winding up; conclusion, end
desenmascar to unmask
desenvolver(se) (ue) to unfold, unroll, unwrap; to unravel
desesperado desperate; hopeless; furious
desgraciado unhappy, unfortunate
deshacer to undo, destroy; — **a balazos** to shoot to pieces or bits; —**se** to vanish, disappear

deshecho (*p. p. of* **deshacer**) undone; upset; exhausted
deshonesto dishonest
desierto desert, wilderness; (*adj.*) deserted, empty, barren
desigualdad inequality; difference; roughness
desilusión disillusion, disillusionment
desilusionado disillusioned
desinteresado disinterested; impartial
desleír to make weak or thin
deslizarse to slip, slide
desmayarse to faint
desnudo nude, naked, uncovered
desorden *m.* disorder
desorientación lack of orientation; confusion
desorientado disoriented; confused
despachar to dispatch; to expedite; to attend to (correspondence)
despedir (i) to dismiss; —**se (de)** to take leave (of); to say good-bye (to)
desperdiciar to waste, squander
despertar(se) (ie) to awaken, wake up
despintado faded
desplegar (ie) to unfold, spread out
desprecio scorn, contempt
desprenderse to tear oneself loose
después after, later, then; — **de** after
desquite *m.* compensation; revenge
destacamento (*mil.*) detachment; station; post
destacar to stand out; to emphasize
destierro exile, banishment
destinado destined
destino destiny, fate
destrucción destruction
destructivo destructive
destruir to destroy
desvanecer to vanish, disappear; to faint
desvarío inconstancy; whim; derangement
desviar to deflect; to deviate or turn off (from)
detalle *m.* detail
detener(se) to stop
detenido person under arrest
determinación determination; firmness

152

detrás (de) behind; **por —** from the rear, from behind
deuda debt
devolver (ue) to return, give back
devorar to devour, gobble up
devuelto (*p. p.* of **devolver**) returned, given back
día *m.* day; **al — siguiente** on the following day; **al otro —** on the next day; **de — y de noche** night and day; **hoy —** nowadays; **todos los —s** every day
diablo devil
diario daily, every day
dibujo drawing, sketch
diciembre December
dictador *m.* dictator
dictadura dictatorship
diente *m.* tooth
diez ten
diferente different
difícil difficult
difunto dead; corpse
dignidad dignity
digno worthy, deserving
dilema *m.* dilemma
dinero money; **tirar el —** to waste (squander) money
Dios God; **por —** for heaven's sake; **¡— mío!** my God! goodness me! oh my!
diputado representative, delegate, congressman, deputy
directo direct; **lo —** the directness, frankness
dirigir to direct, send; to control; to lead; **—se a** to turn to, go to
discreción discretion
discurso discourse, speech, lecture; **decir —s** to deliver speeches
discutir to discuss, argue
disensión dissent; contest, strife
disfraz *m.* mask, disguise
disfrazar (de) to disguise, mask (as)
disgusto loathing, displeasure
disolver (ue) to loosen, untie; to dissolve, break up (a meeting)
disparar to shoot, fire, discharge
disponer to dispose; to arrange, prepare; **— la mesa** to set the table
dispuesto (*p. p. of* **disponer**) arranged; prepared; disposed; ready
distinguido distinguished
distintamente distinctly
distraído distracted
disuelto (*p. p. of* **disolver**) dissolved, disbanded
divino divine
divisionario (*mil.*) divisional, rank of army general
doblar to double; to fold, crease; to bend
doble double
documento document
dólar *m.* dollar
dolor *m.* grief, pain; **— de muelas** toothache
doméstico domestic
dominar to dominate
donde where, in which, the place where
¿dónde? where?
dondequiera wherever; anywhere; **por —** everywhere
dormir (ue, u) to sleep; **—se** to fall asleep
dos two; **los —** both
dramático dramatic
dramaturgo playwright, dramatist
dubitativo doubtful, dubious
duda doubt; **por las —s** just in case
dudar to doubt
dueño master, owner; **ser muy —** to be sure of oneself; to be confident or cocky; to be your own master; to be free to do as you please
duración duration
durante during, for
durar to endure, last
dureza hardness, firmness; harshness
duro hard, firm; unjust, unkind, cruel, rigorous

E

e (*used before words beginning with* **i-** *or* **hi-** *not followed by* **e**) and
echar to throw, toss, throw out, "fire," dismiss, hurl, cast; **— abajo** to overthrow, throw down; **— de menos** to miss, notice the absence or loss of; **— de ver** to notice, ob-

serve; — **mano a** to seize; **—se a** + *inf.* to begin to; — **mano de** to resort to; **—se a la bolsa a todo el mundo** to have everyone eating out of his hand; **Échale un poco de sal para que se deshaga.** Throw a little salt on him so he melts. (This was done with some kind of semi-liquid worms called **babosos** which were bred by humidity in certain zones.)

edad age

efectivo effective

efecto effect; **en** — exactly, in fact, actually, as a matter of fact

¿eh? (*interj.*) eh! here!

eje *m.* axis; main point, crux

ejecutar to execute, perform, carry out

ejemplo example; **por** — for example

ejercer to perform, exercise

ejercicio exercise

ejército army

elección election

electo (*p. p. of* **elegir**) elected, chosen

elegante elegant, stylish

elegido (*p. p. of* **elegir**) elected; *m.* elected or chosen one

elegir (i) to choose, elect, name, nominate

elemento element

ello it

embargo: sin — nevertheless, however, notwithstanding

emboscada ambush

emergencia emergency

emigrar to emigrate

emitir to emit, utter, express

emoción emotion

empacar to pack

empañado dimmed, blurred, subdued

empezar (ie) to begin

emplazar to summon

empleado employee

emplear to employ; to use

empleo employ, employment, job, public office

empujar to push, shove, press

en in, into, on, at

enamorado lover, sweetheart

enamorar(se) (de) to fall in love (with)

encarcelar to imprison

encargar to entrust, place in charge; **—se de** to take (be in) charge of

encender (ie) to light (up); to inflame

encerrar (ie) to enclose, lock up; **—se** to shut oneself up

encima (de) above, on top (of)

encoger to shrink, shrivel; **—se de hombros** to shrug the shoulders

encontrar (ue) to find, meet; **—se** to be; **—se con** to be confronted with

enderezar to straighten; to right or set right; **—se** to straighten up

enemigo enemy

enemistad hatred, animosity

energía energy, force

enérgico energetic, lively, forceful

enero January

enfadar to anger, vex; **—se** to become angry

enfermarse to fall ill, be taken ill

enfermedad sickness, disease

enfermizo sickly; unhealthful

enfermo sick, ill

engañar to deceive; to fool

enigma *m.* enigma, puzzle

enjuague *m.* plot, scheme

enjugar to dry; to wipe off moisture from

enmendar (ie) to amend

enojar to make angry; to vex, annoy, irritate

enorme enormous

enredo entanglement; plot (of a play)

enrojecer to make blush; **—se** to blush

enseñar to teach; to show

entender (ie) to understand

enterarse de to find out about, become informed about

entero entire, whole; **por** — entirely, fully

enterrar (ie) to bury

entonces then

entrañas entrails, bowels; heart; affection

entrar (en) to enter; — **en su materia** to come to the point, get down to business
entre between, among
entreabierto (*p. p. of* **entreabrir**) half-opened, ajar
entregar to give, deliver, hand over; —**se** to devote oneself, dedicate oneself
entretanto meanwhile
entrevista interview
entrevistar to interview
entusiasmado enthusiastic
entusiasmo enthusiasm
entusiasta enthusiastic
enviar to send
envidia envy, jealousy
episodio episode
época epoch, age, era, time
equipaje *m.* baggage, luggage
equiparar to compare; to match
equis *f.* name of the letter *x;* "**cinco** —" implies the highest quality of felt in the Texan or cowboy hats
equivocarse to be mistaken or wrong
erguir(se) (ye, i) to stand erect, straighten up; to swell with pride
escalera stair; staircase
escapar(se) to escape, flee
escapatoria escape, flight; excuse, evasion; loophole
escapulario scapulary: a part of the habit of various religious orders
escaramuza skirmish; quarrel, dispute
escaso small, limited; scarce, scanty
escena scene; **en la** — on stage
escénico scenic, pertaining to the stage
escenografía scenography
escéptico skeptical
esclavitud slavery
escoger to choose, select
escolta escort, convoy, guard
escoltar to escort, guard
esconder to hide, conceal
escribir to write
escrito (*p. p. of* **escribir**) written
escritor *m.* writer, author
escritorio desk
escrúpulo scruple

escuchar to listen to, hear
escuela school
escupir to spit
ese, esa that; **esos, esas** those
ése, ésa that (one); **ésos, ésas** those
esencial essential
esforzar (ue) to force; to strengthen; to encourage; —**se por** to try to
esfuerzo effort
eso that; **por** — that is why, therefore, for that reason
espacio space, room; interval
espalda back; **de** —**s** backwards, from behind; **por la** — from behind, behind one's back; **volver (dar) la** — to turn one's back
espantar to scare, frighten; —**se** to be astonished
español Spanish, Spaniard
especial special
especie *f.* species; kind, sort
espejo mirror
esperar to hope; to wait (for); to expect; — **a que** to wait for (until)
espiar to spy on; to lie in wait for
espíritu *m.* spirit, soul, mind
esplendor *m.* splendor
esposa wife
esposo husband
espuma foam
establecer to establish
estadista *m.* statesman
estado state; condition; **los Estados Unidos** the United States
estallar to explode, burst forth, break out
estar to be; — **de** to be in position to; — **en** to understand, comprehend; — **en sí** to have control of oneself, be in one's right mind; — **por** to be in favor of; — **por ver** to remain to be seen; —**se** to remain
estatua statue
este, esta this; **estos, estas** these
éste, ésta this (one); **éstos, éstas** these
este east
estilo style
estimar to esteem, respect; to value; to estimate; to judge, think

esto this; **por** — this is why, therefore

estorbar to disturb; to hinder, be in the way

estrechar to tighten; — **la mano** to shake hands

estrella star

estremecer(se) to shiver, shake, tremble

estremecimiento shudder; trembling

estrictamente strictly

estrofa stanza

estructura structure; order; method

estudiantil as a student

estudiante (*m. and f.*) student, pupil

estudiar to study

estupefacto motionless, stupefied

estúpido stupid

eterno eternal

etiqueta label

Europa Europe

evidente evident

evitar to avoid

exactamente exactly

exagerar to exaggerate

examinar to examine, look at carefully

excepción exception

excepto excepting, except, with the exception of

excesivamente excessively

exceso excess; **en** — excessively, too much

excitadísimo very excited

excitado excited

exclamar to exclaim

excluir to exclude; to bar

exigir to require, demand, urge

existir to exist

éxito success; issue, result, end; **tener** — to be successful

expedición expedition

experiencia experience

explicación explanation

explicar to explain

explorador *m.* explorer; (*adj.*) exploring, scouting

explotar to exploit; to develop; (*Am.*) to explode

expresar to express

expresión expression; statement

extenso extensive, large

exterminar to exterminate; to raze

extracción extraction

extranjero stranger, foreigner; foreign

extrañar to wonder at; to find strange; **extrañado** surprised; **cómo te extraña el que te persiga esa mentira** how you must wonder at being haunted by that lie

extraño strange

extraordinario extraordinary

extremo extreme, last, utmost point; **de un** — **a otro** from one end to the other; **sin** —**s** profusely

F

fábrica factory; structure, building; — **de sillar** building of square-hewn stone

fácil easy

facilidad ease, facility

facción faction; *pl.* features

falda skirt; incline, slope

falso false, untrue, incorrect

falta fault; lack; error; **hacer** — to be lacking

faltar to lack; to need; to be lacking, missing; — **por ver** to remain to be seen

fallar to fail, be deficient or wanting

fama fame

familia family

familiar *m.* relative; (*adj.*) familiar

famoso famous

fanático fanatic

fanatismo fanaticism

fantasma *m.* ghost, phantom

fantástico fantastic

farsa farce

farsante *m.* pretender, deceiver

fastidio dislike; weariness; bother

fatigado tired

favor *m.* favor; **por** — please

favorito favorite

fe *f.* faith

fealdad ugliness

febrero February

fecha date

felicidad happiness

felicitación congratulations
felicitar to congratulate
feliz happy; fortunate
femeninidad womanhood
femenino feminine
feo ugly
ferocidad ferocity, fierceness
feroz fierce, ferocious
ferrocarril *m.* railroad, railway
ferrocarrilero railroad
fértil fertile, fruitful, plentiful
fiado on credit
fiar to trust, confide; to sell on credit; —**se de** to have confidence in, depend on
fiat lux (*Latin*) Let there be light!
ficción fiction
fidedigno trustworthy, creditable
fiebre *f.* fever
fiel faithful
fiesta entertainment, party
fifí de bailes *m. Mexico City dance-hall dandy in the years of the Revolution. Their nick-name has been preserved, at least until the* **pachucos** *or zootsuiters appeared.*
figura figure, shape
figurar to figure; —**se** to imagine, fancy; to seem
fijar to fix; —**se (en)** to pay attention (to); to notice
fijo fixed
filología philology
filosofía philosophy
filosófico philosophical
fin *m.* end, purpose; **al** — finally, in short; **en** — finally, in short; **por** — finally, at last
finca farm
fingir(se) to feign, pretend
fino fine; thin, slender
firma signature
firmeza firmness
físico physical
fisonomista (*m. and f.*) physiognomist: one who has a good memory for faces
flanquear to flank
floreado floreada, figured
fomentar to foment, promote, further

fondo rear, back; background; **en el** — at heart, in substance
forma form; way; order; figure (of person)
formar to form, shape, fashion
fortalecido fortified, strengthened; encouraged
foto (*m. or f.*) photo (photograph)
fotógrafo photographer
fracasado failure
fracasar to fail
fracaso failure
francés French, Frenchman
franco frank, open
franqueza frankness
frase *f.* sentence; phrase
frecuencia frequency; **con** — frequently
frecuente frequent; common
frente *f.* forehead; *m.* front; **al** — **de** in front of, at the head of; **de** — from the front; — **a** opposite, in front of, in the face of; — **a** — face to face; **hacer** — to face (a problem); to meet (a demand)
frialdad coldness
frío cold; **tener** — to be cold
frotar to rub
fruto fruit: any product of man's intellect or labor; benefit, profit
fuego fire; shooting; **dar** — to give a light (cigarette); **hacer** — to fire; **prender** — to set fire
fuera(de) outside (of); besides, in addition to; **por** — outside, on the outside
fuerte strong
fuerza force, strength; **a** — **de** by dint of, because of; **a (por) la** — by force; **en** — **de** on account of
fuga flight, escape
fumar to smoke
función function; **hacer** — **de** to function or serve as
fundar to found, establish
furia fury, rage
furioso furious
fusilamiento execution
fusilar to shoot
futuro future

G

galería corridor; lobby; gallery

Galia Gaul, *presently France*

Gallareta widgeon or wild duck; as a nickname, often applied to a person in allusion to the supposed stupidity of the bird

gallo cock, rooster; **tapar el —** to top or surpass

gana desire; **tener —s (de)** to want, wish (to); **tenerle —s a** to wish to have a fight with

ganar to gain, win; to earn; **— la vida** to earn one's living

garganta throat; **limpiarse la —** to clear one's throat

garra claw

gastar to spend, use; to waste

gemir (i) to groan, moan; to roar, howl

generación generation

generalizar to generalize

generoso generous

gente *f.* people

gesticulador *m.* gesturer, gesticulator; impostor

gesto gesture; facial expression

girar to revolve, rotate; to turn

glorioso glorious

gobernador *m.* governor

gobernadora governor's wife

gobernante *m.* ruler

gobernar (ie) to govern

gobierno government

golpe *m.* blow, beat

golpear to strike, hit, hammer, beat, knock

gordo fat

gozar de to enjoy

grabador *m.* engraver

gracia grace, wit; *pl.* thanks; **dar las —s** to thank

gracioso graceful, pleasing; funny

gradualmente gradually

gran (*used for* grande *before a sing. n.*)

grande large, great, tall; (*adv.*) very well

grandeza greatness, grandeur

grandioso grandiose, grand, magnificent

gravedad gravity, seriousness

gravemente seriously; deliberately

gringo foreigner (*especially Americans and Englishmen*)

gritar to shout

grito shout, cry

grueso bulk; main body or part of an army; (*adj.*) big, heavy, fat, thick

grupo group

Guadalupe: Virgen de — patron saint of Mexico

guapo handsome

guardar to keep, maintain, guard; **— rencor** to hold a grudge

guardia *f.* group of armed men; *m.* guard, soldier; **en** or **de —** on guard

guayaba guava fruit

gubernatura governorship

güero blonde; **güerito** "blondie"

guerra war

guías: bigotes de — a la kaiser handlebar moustache in the style of the moustache worn by Kaiser Wilhelm (William) II of Germany during World War I

guisa manner, fashion; **a — de** like, in the manner of

gustar to please, be pleasing, like

H

haber to have (*used to form the perfect tenses*)

habilidad ability, skill, talent

habitación room

hablar to speak

hacendado landholder

hacer to make, do, cause; **— antesala** to be kept waiting, dance attendance; **— bien** to do right; **— caso de** to pay attention to; **— daño** to hurt; **— falta** to lack (be lacking, missing); **— frente** to face; **— función de** to function or serve as, substitute for; **— mal** to do wrong, act wrongly; **hace mucho tiempo** a long time ago; **— pedazos** to pull (tear) to pieces; **— un papel** to play a rôle; — **una pregunta** to ask a question; —**se** to become; —**se a un lado** to move, stand aside; —**se cargo de** to take charge of; **en lo que hace a** with regard to, as to; **no le hace** never mind; **se me hace aquí va a pasar algo** I have a feeling that something (serious) is going to happen here; **haga el favor de** ... please . . .

hacia towards, in the direction of; —**abajo** downward; —**arriba** upward

hallar to find; —**se** to find oneself; to be

hambre *f.* hunger; **tener** — to be hungry

harto sufficient, full, complete; **estar** — **de** to be enough; to be fed up with

hasta until, as far as, up to; even; — **que** (*conj.*) until

hay (*impersonal form of* **haber**) there is, there are; **había, hubo** there was, there were; **habrá** there will be; **habría** there would be; — **que** it is necessary to; **¿Qué hay?** What's the matter? **¿Qué hubo?** What happened? What was the matter?; **si no hubiera habido de beber y de comer** if we hadn't had food and drinks to offer

hecho (*p. p. of* **hacer**) made, done, become, turned into; — *m.* deed, fact, event; **trato** — it's agreed, it's a deal

herida wound

herir (ie, i) to wound

hermana sister

hermano brother; *pl.* brothers; brothers and sisters

hermoso beautiful; fine

héroe *m.* hero

heroico heroic

heroísmo heroism

Hidalgo *one of the most mountainous of the Mexican states, bounded on the north by San Luis Potosí and Veracruz*

hielo ice; **de** — coldly

hija daughter

hijo son; *pl.* sons; sons and daughters; children

hipnotizado hypnotized

hipocresía hypocrisy

hipócrita hypocrite; hypocritical

historia story; history

historiador *m.* historian

histórico historic, historical

hoja leaf; **cigarro de** — cigarette rolled in a corn husk

hojear to glance at (a book, *etc.*); to turn the leaves of

hombre *m.* man; **o se es** —, **o se tiene poder** either you are a man, or you just have power

hombro shoulder; **encogerse de** —**s** to shrug the shoulders

homenaje *m.* homage

honrado honest

honrar to honor

hora hour; — **de** time to (for)

horrendo hideous, horrible

horripilante horrifying

hostil hostile

hoy today; — **día** nowadays

huelga strike (of students, workers)

huertista (*m. and f.*) *follower of Victoriano Huerta*

hueso bone

huída flight, escape

huir to flee

humano human

humeante smoking, steaming

humilde humble

humillar to humiliate, humble, crush

humor humor; disposition; **con (de) mal** — in a bad humor; ill-tempered

I

idealista idealist, idealistic

idée fixe (*Fr.*) fixed idea, fixation

identidad identity

identificación identification

identificar to identify

idioma *m.* language

ignorancia ignorance

ignorar to ignore; to be unaware of

igual equal, the same; the same way; **sin** — unequaled

igualmente likewise, equally
iluminación illumination
iluminado enlightened, lighted, illuminated
ilusión illusion
ilustrado learned, well-informed
ilustre illustrious, distinguished
imagen $f.$ image
imaginación imagination
imaginar(se) to imagine, think; to suspect
imbécil $m.$ imbecile
imitar to imitate
impaciencia impatience
impacientar to vex, irritate, make one lose patience
impaciente impatient
impecable impeccable
impedimento impediment, obstacle
impedir (i) to prevent, hinder
imperativo imperative; command ($gram.$)
imperfecto imperfect tense ($gram.$)
impersonador $m.$ impersonator, one who plays a part
impersonalmente impersonally
imponente imposing
imponer to impose
importancia importance
importante important
importar to matter, be important
imposibilidad impossibility
imposible impossible
impostura imposture
impresión impression
impresionado impressed
impresionante impressive
imprimir to print; to publish
improvisación improvisation
impulso impulse, move
inactividad inactivity
inaugurar to inaugurate
incidentalmente incidentally
inclinar to bow, bend down; to influence; —se to resemble
incluir to include
inclusive ($adv.$) inclusive; including
incomodar to disturb, inconvenience, trouble
incómodo uncomfortable, ill at ease
incomprensivo incomprehensible

inconfesable unconfessed
incontenible not containable, uncontrollable
inconveniente $m.$ difficulty, obstacle; objection; ($adj.$) inconvenient; **tener —** to object
incorporar to raise or to make sit up; to embody, incorporate; —se to join (as a mil. unit); to sit up
increíble incredible, unbelievable
incunable $m.$ incunabula, pertaining to books $printed\ before\ 1501\ A.D.$
independencia independence
indicado appropriate one
indicar to indicate, point out
indicativo indicative mood ($gram.$)
indignación indignation, ire
indio Indian
indirecto indirect
indisciplina lack of discipline or training
indiscreto indiscreet
indudable indubitable, certain
inepto inept, incompetent
inercia inertia, inactivity
inesperado unexpected, unforeseen
inestimable invaluable
inexplicable inexplicable
infancia infancy, childhood
infantil infantile, childlike
infecundo barren, sterile, unproductive
infeliz unhappy, unfortunate
inferioridad inferiority
inflexible ($adj.$) unyielding
influencia influence
influenciar to influence
informar to inform, advise
informe $m.$ report; $pl.$ news, information
infracción infraction
inglés English; Englishman
iniciar to initiate
injuriar to injure, hurt
injusticia injustice
inmediato immediate
inmóvil still, motionless
inocencia innocence
inquietante disturbing, disquieting
inquieto restless, uneasy, worried
inquietud anxiety

160

inseguridad insecurity
insensiblemente imperceptibly, by degrees
insistencia persistence, insistence, obstinacy
insistente persistent
insistir (en) to insist (on); to persist (in)
insolencia insolence
insoportable unbearable, intolerable
inspección inspection
inspirar to inspire
instalar to install; to place; —se to settle; to move in
instante *m.* instant, moment
instintivamente instinctively
instinto instinct
instituto institute
instrucción instruction; order
instruir to instruct, teach
íntegramente entirely, wholly
inteligencia intelligence
inteligente intelligent
intención intention
intencionado inclined, disposed
intencionalmente intentionally
intencionar to intend
intensidad intensity
intenso intense
intentar to attempt, try
interés *m.* interest
interesante interesting
interesar (en, con, por) to be concerned (with) or interested (in)
interpelar to appeal, implore
interponer to interpose, place between
interpretación interpretation
interrogar to interrogate, question
interrumpir to interrupt
interrupción interruption
íntimamente intimately
intriga intrigue; entanglement; plot (of a play)
inútil useless
invadir to invade
invención invention
inventar to invent
invertir (ie, i) to invert; to invest
investigación investigation
investigar to investigate

inviolabilidad inviolability
invitado guest
involuntariamente involuntarily
ir to go; — **se** to go away; — + *pres. p.* to be gradually; —**se volando** to rush, go quickly; **va a haber** there are going to be; ¡**vaya!** well!
ira ire, anger, wrath, rage
irguiendo (*pres. p. of* **erguir**) straightening up
irónico ironic, ironical
irrefutable indisputable
irritante irritant
irritar to irritate, annoy, vex
izquierdo left; **a la izquierda** to the left

J

jadeante panting, out of breath
jamás never
jefatura position or headquarters of a chief
jefe *m.* leader, chief, officer, head, "boss"
jornada (*mil.*) expedition; one-day march
joven young; young man or woman
joya jewel, gem
juego play, sport, game; set, suite (of furniture); **mismo** — as before, ditto
jugar (ue) to play; to take an active part; — **a las canicas** to play marbles
juicio judgment; decision; wisdom
julio July
junta meeting; session; board; council
juntar to join, connect, unite
junto together; — **a** near, beside, next to, by
jurar to swear, vow
justicia justice
justiciero just, fair
justificar to justify
justo just, right, correct, exact
juventud youth
juzgar to judge

K

kilómetro kilometer (about five-eighths of a mile)

L

la *f.* (*sing.*) the; — **de** that of
labio lip
labrar to cultivate
lacra fault, defect; viciousness
lado side; **del** — **de** on the side of; **por otro** — on the other hand
ladrón *m.* thief
lágrima tear; **derramar una** — to shed a tear
laguna lagoon; gap
lámina engraving, print, picture
lanzar to throw, hurl, push
largarse to get out, quit, leave
largo long; **a lo** — **de** along, the length of
las *f.* (*pl.*) the
lastimar to hurt
lastre *m.* ballast; dead weight (failure)
latido beat, beating, throb
latinoamericano Latin American
lavabo lavatory, washroom
lavar(se) to wash
lealmente loyally
lealtad loyalty
lectura reading
leche *f.* milk
leer to read
legalizar to legalize
legislador *m.* legislator
legislatura legislature
lejano distant, far off
lejos far, far off, far away; **a lo lejos** at a distance, far away; **de** — from afar
lengua tongue; language
lentamente slowly
levantamiento uprising, revolt
levantar to raise; to set up, establish; —**se** to get up, rise up, rebel
levísimo very slight
ley *f.* law
leyenda legend; inscription; motto
liar to roll (cigarette)
libertad liberty
librar to free
libre free; clear, open
librero bookcase
libro book

licenciado a title given to lawyers; (*col.*) lawyer, attorney
líder *m.* leader
ligar to tie, bind, fasten
ligero light; slight; light-weight
limitar to limit
limonada lemonade
limpiar to clean; to purify; —**se la garganta** to clear one's throat
limpidez transparency
limpieza cleanness, neatness; integrity, honesty
limpio clean, neat; clear
lindo pretty
línea line
lío bundle
lista list
listo ready, prepared; apt, clever
literario literary
lo it, him, you; — **que** what, that which; — **que es** as for
loco crazy, insane; **volverse** — to become (go) insane
lógica logic
lógico logical
lograr to succeed (in), achieve, obtain
lucha fight, struggle
luchar to fight
luego then, soon, immediately; **desde** — of course; ¡**hasta** —! so long
lugar *m.* place; **de** — **en** — from place to place; **en** — **de** instead of; **en primer** — first, in the first place; **tener** — to take place
Luis XIV (1638–1715), king of France whose reign was the longest in the world's history. He was an autocrat, and his official policy may be summarized in the expression credited to him: "I am the State."
lujo luxury
lumbre fire; light (from a match)
luz *f.* light

LL

llamada call; knock; motion or sign to call attention
llamado so-called; by the name of
llamar to call, name; to knock; — **la**

atención to attract attention; —**se** to be called, to be named
llegada arrival
llegar to arrive; to succeed in; — **a ser** to become, get to be
llenar to fill
lleno full, filled; — **de** filled with
llevar to take; to carry; to wear; to lead; to have spent (time); — **a cabo** to carry out; —**se** to take away, carry away with one; —**se bien** to get along, be on good terms
llorar to cry, weep

M

machacar to crush, pound
madera wood
madre *f.* mother
maestrillo insignificant schoolmaster
maestrito insignificant schoolmaster
maestro teacher
magistrado magistrate
magnesio flash of magnesium used in photography to create a bright light
magnetismo magnetism
magnífico magnificent
mal (*used for* **malo** *before a m. sing. n.*)
mal badly, wrong; *m.* illness, disease; evil, harm
maleta suitcase
malicia malice, maliciousness
malo bad, evil; ill
mancha stain, blemish
manchar to stain, soil
mandar to order, command; **mande** What may I do for you?
mando command, order
manera way, manner; **a** — **de** as a kind of; **a la** — **de** in the fashion (style) of; **de ninguna** — in no way, by no means, not at all; **de todas** —**s** any way
manga sleeve; **en** —**s de camisa** in shirt-sleeves
mangoneo intermeddling, prying
manifestación manifestation, evidence

maniobra handiwork; trick, maneuver
mano *f.* hand; forefoot; **a** — by hand; **de la** — hand in hand; **echar** — **a** to seize; **echar** — **de** to resort to
mantener to maintain, hold, keep up; to provide for, support; —**se en carácter** (*theat.*) to keep in character
manuscrito manuscript
mañana morning; tomorrow; **de la** — in the morning
máquina machine; — **de escribir** typewriter
maravilla marvel, wonder
maravilloso marvelous
marco frame; door or window case
marcha march; **en** — in motion, starting
marchar to march; —**se** to march or go away
marido husband
marino marine, sea; **azul** — sea blue
martillar to hammer; — **las palabras** to point up or emphasize the words
mártir (*m. or f.*) martyr
mas but
más more, most; **a** — **de** in addition to, besides being; **los** — the majority; — **de** more than; — **que** more than; even if; **nada** — only
masculino masculine
matanza slaughter, butchery
matar to kill
materia subject matter; **entrar en su** — to come to the point, get down to business
matón *m.* bully, browbeater
mayo May
mayor greater, greatest, more; chief, main; **la** — **parte** the majority
mayoría majority
mecedora rocking chair
medio half; middle; **en** — **de** in the midst of; **por** — **de** by means of; **medios** means; **a media voz** in a whisper
mediocridad mediocrity

mediodía *m.* noon, midday; **al —** at noon

medir (i) to measure; to compare; to judge

mejilla cheek

mejor better, best; **a lo —** perhaps; **— dicho** rather

mejorar to improve

memoria memory

menor lesser, least; younger, youngest; minor; smaller, smallest

menos less, least; except; **a lo —** at least; **a — que** unless; **al —** at least; **cuando —** at least; **echar de —** to miss; **lo de —** least; **lo — posible** the least possible; **— de (que)** less than; **ni —** even less; **poco más o —** more or less, about; **por lo —** at least

mensaje *m.* message

mensajero messenger

mentir (ie, i) to lie

mentira lie, falsehood; **parece —** it seems incredible

menudo small; **a —** often

mercancías merchandise, goods

merecer to deserve, merit; to obtain; to be worth

meritorio meritorious, worthy, deserving

mero mere, pure, simple

mes *m.* month

mesa table

mestizo person of mixed blood, half-breed

meter to put in; to involve; **—se en** to meddle in (with)

metódicamente methodically

metro meter, unit of length: 39.37 inches

mexicano Mexican

México Mexico; Mexico City

mezcla mixture

mezclar to mix; to involve; **—se con** to meddle with

mí me; **— mismo** myself

miedo fear; **tener —** (de) to be afraid (of)

mientras (que) while, as long as; **— tanto** in the meantime

mil thousand

milagro miracle

militar *(adj.)* military; *m.* military man

militarista militarist, militaristic

millón *m.* million

ministro minister

minoría minority

minucioso thorough, minutely precise

minuto minute, moment

mío, -a, -os, -as mine; **los míos** my men

mirada look, gaze, glance

mirar to look (at); **— en torno a (de)** to look around

miseria misery, wretchedness, poverty

misión mission

mismo same, very, own, self; **ahora —** right now; **mí —** myself; **sí —** himself; **él —** he himself

misterio mystery

misterioso mysterious

mitad half

mítin *m.* political meeting; rally

mito myth

moda fashion, mode, style; **a la —** after the latest fashion, fashionable; **estar de —** to be in style or in fashion

modernista modern, modernist

modestia modesty, unpretentiousness

modesto modest

modismo idiom

modo way, manner; **con buenos —s** politely; **de cualquier —** at any rate; **de mal —** impolitely; **de — que** so then, so that; **de otro —** in another way, otherwise; **de tal — in** such a way; **de todos —s** at any rate

molestar to bother, annoy; *m.* bother

molestia annoyance, bother; inconvenience, trouble

momento moment; **hace un —** a moment ago

monstruo monster

monstruoso monstrous, huge; extraordinary; shocking, hideous

monte *m.* mountain

Monterrey *capital of the state of Nuevo León, about 625 miles north of*

164

Mexico City; third largest city in the Republic
montura saddle trappings
monumento monument
morder (ue) to bite
mordida bite; (*Mex.*) tip, gratuity
moreno dark, brunette; **se es pobre como se es** —a *a person born poor cannot expect to become rich through natural means, just as a brunette who bleaches her hair will always be a "phony" blonde*
morir(se) (ue, u) to die, pass away
mosaico mosaic; concrete tile
mosca fly
mostrar (ue) to show, reveal
motivo motive, reason
mover(se) (ue) to move; — **la cabeza** to nod (one's head)
movimiento move, movement; **poner en** — to set in motion
muchacho boy
mucho much, great, a lot; *pl.* many
mueble *m.* piece of furniture; *pl.* furniture
muela tooth; **dolor de** —s toothache
muerte *f.* death; **vamos a estar toda la** — we'll spend a living death
muerto (*p. p. of* **morir**) dead; corpse; **no podría dejar de ir más que muerto** I could only fail to go if I were dead
muestra sign, indication
mujer *f.* woman; wife
multiplicar to multiply
multitud multitude, crowd
mundo world; **todo el** — everyone
municipio municipality
murmullo murmur
murmurar to murmur
música music
muslo thigh
mutis *m.* (*theat.*) exit
mutuo mutual, reciprocal
muy very

N

nacer to be born; to rise
nación nation
nacional national

nada nothing; — **más** only
nadie no one, nobody
natal native, natal
naturaleza nature
naturalmente naturally, of course
necesario necessary
necesidad necessity, need
necesitar (de) to need
negar (ie) to deny; —**se a** to refuse to
negativo negative
negocio affair; business
negro black
nervioso nervous
neutralidad neutrality
ni nor, not even; — ... —... neither . . . nor; — **menos** even less; — **siquiera** not even; — **un** not a single; — **que** not even if
ningún (*used for* **ninguno** *before a m. sing. n.*)
ninguno no; (not) any; no one; **de ninguna manera** under no circumstances
niño child
no no, not; — **obstante** notwithstanding; nevertheless
nobleza nobleness; nobility
noche *f.* night; **de** — by night; **de la** — in the evening; **esta** — tonight; **buenas noches** good evening, goodnight
nombrar to name; to nominate, appoint
nombre *m.* name; noun; **de, por** — by name; **en** — **de** on behalf of
norte *m.* north
norteamericano North American; American (from or of the United States)
norteño northerner
nosotros we; **¿a nosotros qué?** what's that to us? what do we care?
nota note; mark, sign
notablemente notably, remarkably
notar to note, notice; to mark
noticia a piece of news, news item; information; *pl.* news
novela novel
novia bride; sweetheart
noviembre November
nuestro, -a, -os, -as our; **los** —s ours; our forces

nuevamente again
nuevo new; de — again
Nuevo León *one of the richest and most progressive states of northern Mexico; Monterrey is the capital*
numerito little number; little act or show
número number
numeroso numerous
nunca never; **como** — as never before

O

o (*conj.*) or; — ... — ... either . . . or
obedecer to obey
objeto object, purpose; article
obligar to oblige, compel
obra work, deed
obrar to work; to act; to operate
obrero worker
obscuro dark, obscure
observación observation
observar to observe
obstante: no — notwithstanding, nevertheless
obstinado obstinant, stubborn
obtener to obtain, get
ocasión occasion
ocultar to hide
ocupar to occupy; —**se en** to pay attention to; to busy oneself by
ocurrir to occur, happen
ochenta eighty
odiar to hate, dislike
odio hate, hatred
ofender to offend
oficial *m.* official, officer
oficialidad body of officers
oficialmente officially
oficina office
ofrecer to offer; to propose
ofrecimiento offer, offering
¡oh! (*interj.*) oh!
oído (*p. p. of* oír) heard; *m.* ear
oír to hear; to listen
ojalá would to God, God grant, I wish or hope
ojeada glance, glimpse
ojo eye
olor *m.* smell, odor

olvidar(se) (de) to forget
once eleven
opaco opaque, dull
operar to operate, act, work
opinar to judge, be of the opinion
oponer(se) to oppose, bring up in opposition
oportunidad opportunity
oportuno opportune, timely
oposición opposition
oprimir to press, urge; to clench, squeeze
opuesto (*p. p. of* **oponer**) opposed; opposite
oquedad hollow, cavity
oración prayer; sentence
orador *m.* orator, speaker
orden *f.* order, command; religious order; *m.* arrangement, order, class group
ordenar to order, command
organizar to organize, set up, arrange
orgullo pride; haughtiness
orgulloso proud, haughty, arrogant
oscuridad darkness
oscuro dark, obscure
ostensiblemente ostensibly
ostentación ostentation, vain show
ostentar to make a show of, to exhibit; to boast, brag, show off
otro other, another; **otra vez** again

P

paciencia patience
pacificar to pacify
pacifista pacifist, pacifistic
padre *m.* father; —**s** parents
pagar to pay (for)
país *m.* country
paisaje *m.* landscape
paisano countryman, compatriot
palabra word; **cuatro** —**s** a few words
palacio palace
palidecer to pale, turn pale
pálido pale
palmada pat; applause
pan *m.* bread; **eso es** — **comido** That's already in the bag.
pantalón *m.* trousers, pants; **ésos son** —**es** That's real manly courage.

papel *m.* paper; part, rôle; **en —** in character (*theat.*); **hacer un —** to play or take a rôle; **cigarro de —** cigarette

papirotazo wad of paper; **dar un —** to throw a wad of paper

paquete *m.* package, packet

para to, for, in order to; **— con** towards, to, for; **—mí** in my opinion

paralelo parallel; similar

parar(se) to stop; **—le los pies** to stop him in his tracks, to cut his wings

parecer to seem, appear; **—se a** to resemble; **según parece** so it seems

parecido resemblance, likeness; (*adj.*) resembling, like

pared *f.* wall

paréntesis *m.* parenthesis

parlamentario parliamentary; member of parliament; (*mil.*) flag of truce

parte *f.* part; side; *m.* communication, report, communiqué; **a otra —** somewhere else; **de — de** on behalf of; **dos terceras partes** two-thirds; **en alguna —** somewhere; **en ninguna —** nowhere; **en otra —** somewhere else; **la mayor —** the majority; **por todas —s** everywhere

participar (en) to participate, take part (in)

particular peculiar, odd; private

partido (*pol.*) party; decision

partir to leave, depart, march forward

pasado last, past; **el año —** last year

pasaje *m.* passage in a book or writing; passage-way

pasar to pass; to go by; to change; to happen, occur; to spend (time); **— la vista sobre** to glance over; **—por** to undergo; **pase usted** come in; **pase lo que pase** no matter what happens; **¿Qué te pasa?** What's the matter with you?

pasear(se) to walk, pass, move, take a stroll or ride

pasión passion; emotion

paso passage; way; step; **a un — a** step away; **dar un —** to take a step; **de —** in passing; **— a —** step by step

patillas side whiskers

patria country

patricio patrician

patriótico patriotic

pausa pause; silence; delay

pausado calm, quiet, deliberate

paz *f.* peace

pecho chest

pedagógico pedagogical

pedazo piece, fragment, bit; **hacer —s** to break (tear) into pieces

pedir (i) to ask for, beg, request

pegar to beat, slap

pelear to fight; to quarrel; to struggle

peligro danger; **correr —** to run the risk, be in danger

peligroso dangerous

pelo hair

pena penalty, punishment; grief; **valer la —** to be worth while

pender to hang

pendiente dangling; **estar —** to be impending, undecided, unsettled; to be on the outlook

penetrar to penetrate, enter

pensamiento thought

pensar (ie) to think; to consider; to intend; **— en** to think about, of; **—las con alas** to have thoughts like winged creatures

pensativo thoughtful

pensión pension, annuity

penumbra dark

peón *m.* peasant

peor worse, worst

pequeño small, little

percibir to perceive

perder (ie) to lose; to ruin; **— el tiempo** to waste time; **— los dientes y las uñas** to lose his fangs and claws; **—se** to get lost

pérdida loss

perdón *m.* pardon, forgiveness; mercy

perfección perfection

perfecto perfect

periódico newspaper

periodista (*m. and f.*) journalist

período period, age, era; term of office

perjudicar to prejudice, hurt, injure

permanecer to remain

permanente permanent

permiso permission; **con —** excuse me

permitir to permit, allow; **¿Usted permite?** May I?

pero but

perpetuar to perpetuate

perseguir (i) to pursue, persecute, chase; **cómo te extraña el que te persiga esa mentira** how you must wonder at being haunted by that lie

Pershing (*1860–1948*), *commander-in-chief of the expeditionary forces of the U.S. during World War I*

personaje *m.* personage, character

personalidad personality

personalmente personally

persuadir to persuade, convince

pertenecer to belong

peruano Peruvian

pesar *m.* grief, trouble, worry, regret; **a —** de in spite of

peso weight, heaviness; importance; monetary unit in Mexico

picar to pierce; to vex; to sting, bite

pie *m.* foot; **a —** on foot; **de —** standing; **de —s a cabeza** from head to foot; **pararle los —s** to stop him in his tracks, to cut his wings

piedad piety; mercy, pity

piedra stone, rock

Piedras Negras *city in the state of Coahuila across the border from Eagle Pass, Texas, which is a port-of-entry into Mexico*

piel *f.* skin

pieza piece of work; play, drama; room

pilar *m.* pillar, column, post

pintar to paint

piso floor, story of a building

pistola pistol

pistolero gangster, gunman

plan *m.* design, scheme, plan; **en — de ataque** on the offensive

planchar to iron or press (clothes)

planeado planned, designed

plática talk, chat, conversation

platicar to chat, talk

plato plate

plebiscito plebiscite

pleito lawsuit; dispute

pluscuamperfecto (*gram.*) pluperfect tense

población village, town, city

pobre poor

pobreza poverty

poco a little, few, short, not very; **dentro de —** in a little while; **no —s** several; **— a —** little by little

poder (ue) to be able to, can; **no — nada** to be unable to do anything; **puede ser** it may be, perhaps; **— más** to stand any more; *m.* power

poderoso powerful

podredumbre corruption; decay

podrido (*p. p. of* **podrir**) rotten

poema *m.* poem

poesía poetry; poem

policía *m.* policeman; *f.* police force

política politics, policy

político politician; political

polvo dust

polvoso dusty

poner to put, place; to make, cause to become; **— en libertad** to set free; **— en movimiento** to set in motion; **—se** to become; to put on; **—se a** to begin to; **—se de acuerdo** to agree; **—se en pie** to stand up; **— en ridículo** to make ridiculous; **—se en ridículo** to make a fool of oneself; **— una tienda** to open or establish a store

popularidad popularity

populoso populated, populous

por by, because of, for, through, along, on behalf of, by means of, on account of, for the sake of; **— entre** through; **— eso** for that reason; **— las dudas** just in case; **¿— qué?** why? **— ...que** however, no matter how; **— si** in case, by chance

porfirista (*m. and f.*) *follower of Porfirio Díaz or pertaining to him*

porque because

portar to carry (as arms); **—se** to behave oneself

168

porvenir *m.* future
poseer to possess, own, hold
posesión possession; **toma de** — taking over office
posesivo possessive
posibilidad possibility
posible possible, probable
posición position
posterior rear, back; later, subsequent
práctico practical
precandidato pre-announced candidate
precaución precaution
precio price; importance; worth
precipitar to precipitate, rush, hurry, throw headlong
precisar to fix, set, determine; to compel; to be urgent or compelling
precisión exactness, accuracy
preciso precise, exact; necessary
precursor *m.* precursor, forerunner
preferible preferable
preferir (ie, i) to prefer
pregunta question; **hacer una** — to ask a question
preguntar to ask
premiar to reward, remunerate
prenda piece of wearing apparel or jewelry
prender to catch, seize, grasp, pin; to cling
preocupar to preoccupy, concern; —**se (de)** to worry (about)
preparar to prepare, fix; —**se a** to prepare to, get ready to
presencia presence
presencial in person
presenciar to witness, see; to attend
presentar to present, introduce
presente present, current
presentir (ie, i) to forebode, predict; to have a presentiment of
presidencia presidency
presidencial presidential
presidente *m.* president
presionar to press, urge
preso (*p. p. of* **prender**) apprehended, imprisoned; *m.* prisoner
prestar to lend, aid, assist; to borrow; — **atención** to pay attention
prestigio prestige, good name
presumir to presume, conjecture; —**se**

de to claim (to be); to boast (of being)
presupuesto motive, pretext; state budget
pretender to seek, try to, want
pretérito (*gram.*) preterit, past tense
prever to foresee, anticipate
previsto (*p. p. of* **prever**) foreseen
primer (*used for* **primero** *before a m. sing. n.*)
primeramente in the first place; first
primero first
principal main, principal, outstanding
principio beginning; principle; **al** — at first; **dar** — **a** to begin, start; **de** —**s** early, at the beginning
prisa haste; **darse** — to hurry; **a** — quickly
prisionero prisoner
privación privation, want, lack, loss, deprivation
privado private
privar to deprive; to forbid, prohibit
privilegio privilege
probabilidad probability, chance
probablemente probably
probar (ue) to prove, try, test; to sample, taste
problema *m.* problem
procedente (de) (*adj.*) coming or proceeding (from)
proceder to proceed, go on
procesión procession
proclamar to proclaim, promulgate
procurar to try; to secure, obtain
producir to produce
profesión profession
profesor *m.* professor, teacher
profundo profound, deep
programa *m.* program; (*pol.*) platform
progresión progression, progress; advance
progresista progressive
progresivo progressive
progreso progress
prohibir to prohibit, prevent, forbid
promesa promise
prometer to promise
promulgación promulgation, publication

promulgar to promulgate, proclaim, publish

pronombre *m.* pronoun

pronto soon, quick, quickly, ready; **de —** suddenly

pronunciar to pronounce

propio proper; own; very characteristic, typical; **—s** own people

proponer to propose, suggest

propósito purpose; intention; **a — de** in connection with, apropos of; **de — on** purpose

proscenio (*theat.*) proscenium: the space between the curtain and the orchestra

proteger to protect

protesta protest

protestar to protest

proveer to provide

próvido provident; prudent

provincia province

provinciano provincial, of the provinces

provisional (*adj.*) temporary, provisional

provocación provocation; irritation

provocar to provoke, challenge, incite, anger

proximidad proximity

próximo next; nearest; close

proyección project, plan, design; projection

proyectar to design; to devise, plan

proyecto project, plan

prudencia prudence; caution

prueba proof, evidence; **poner a —** to put to the test

publicar to publish

publicidad publicity

público public; audience

pudor *m.* modesty, decorum

pudrir to rot; to be buried; to vex, worry

pueblo town; people

puerta door

pues since, as, well, then, because; **— bien** well then

puesto (*p. p. of* **poner**) put, placed; *m.* position, job; **— que** since, although, as long as

pulso pulse

punto point, period; **— de vista** point of view

puro pure; honest; absolute, mere, sheer

Q

que than; which, that; who, whom; **el —** he who, the one that; **lo —** what, that which; **lo — es** as for; **ni —** not even if

¿qué? what? how? **¡— ...!** what a . . . ! **¿a nosotros —?** what's that to us? what do we care? **¿y —?** So what?

quebrar (**ie**) to break; to crush

quedar(se) to remain; to stay, be left; **— mal** to come out badly or get hurt; **para — así no más** to take it sitting down; **— con vida** to remain alive

quejarse to complain, grumble; to regret, lament

quemado sun-burned

quemadura burn

quemar to burn; to scorch; **— cohetes** to shoot fire-crackers; **—se por saber** to be dying (impatient) to know

querella quarrel

querer to want, wish, love; **como quiera que sea** in any case; **— decir** to mean

quien who, whom, he who, whoever. the one who; **a —** whom; **—es** those who; **cada —** everybody

¿quién? who? whom?

quieto quiet, still, calm, silent

quinto fifth

quitar(se) to take off, take away, remove

quizá(s) perhaps

R

rábano radish

rabia rage, fury

raíz *f.* root; base; **a — de** close to, right after

rancho ranch

rango rank, class position

rápido rapid, swift, quick

170

raro rare, strange; scarce
rato while; **hace un —** a while ago
raza race; lineage
razón *f.* reason; **con —** with good reason, rightly so; **— de más** all the more reason; **tener —** to be right; **no tener —** to be wrong
razonable reasonable
reacción reaction
reaccionar to react
reaccionario reactionary
real real; live; royal
realidad reality; **en —** truly, really, in fact
realizar to carry out, perform
reaparecer to reappear
reaparición reappearance
reasumir to resume
rebelarse to revolt, rebel; to resist
rebelión rebellion, revolt, insurrection
recámara bedroom
recargar to cram; to reload; to lean
recelo fear, misgiving, suspicion
recibir to receive, welcome
recién recently, lately; **— llegado** newcomer
reciente recent
reclamar to claim; to demand
recoger to gather, collect, get together, take in, pick up
reconocer to recognize; to inspect, examine closely
reconstruir to reconstruct
recordación remembrance, recollection
recordar (ue) to remember, recall
recorrer to go over; to travel over
recoser to mend
recto straight; honest
recuerdo memory, remembrance
recurso recourse; solution; resource
reelección reelection
reencender (ie) to light (up) again
referir (ie, i) to relate, tell, narrate; to direct, submit; **—se a** to refer to
reflexionar to think, reflect
reformar to reform, change
refugiarse to take refuge, shelter
regañadientes: a — reluctantly, grumbling

regañar to snarl, growl, grumble, quarrel; to mutter
regatear to bargain, haggle about the price
regir (i) to rule, govern; **—se** to be in force; to prevail; to abide
registrar to search
regresar to return, come back
rehusar to refuse, decline, reject
reimpreso (*p. p. of* **reimprimir**) reprinted
reír(se) (i) to laugh; **—se de** to laugh at, make fun of; **— a carcajadas** to guffaw, laugh loudly
relación relation
relacionar to relate, connect; to report; to make acquainted
relatar to relate; to report
reloj *m.* watch, clock; **— pulsera** wrist watch; **— de bolsillo** pocket watch
relleno stuffed, filled
remachar to clinch; to secure, affirm
remediar to remedy
remedio remedy; recourse; **no tener —** can't be helped, prevented
remendar (ie) to mend, patch, repair (sewing)
remirar to look (at) again
remordimiento remorse
rencor *m.* rancor, animosity, grudge
rendir(se) (i) to surrender
renunciar to renounce, refuse; **— a** to resign from
reñir (i) to quarrel, wrangle; to scold
reparar to repair, mend, fix; to observe, notice; to consider; to rear
repente: de — suddenly
repetir (i) to repeat
reposar to rest, repose
representación representation
representante representative
representar to represent
represión repression, check, control
reprimir to repress, check, curb
reprobar (ue) to condemn, disapprove
reprochar to reproach
reproche *m.* reproach, rebuff
reproducir to reproduce
reptil *m.* reptile

república republic
repugnante repugnant, repulsive
reputación reputation
requerir (ie, i) to summon; to require, need
rescatar to ransom; to redeem; to rescue; to exchange
resentirse (ie, i) to be offended or hurt; to resent
reserva reserve; discretion
residir to reside, dwell
resignarse con to resign oneself to
resistir to resist; —se a to object to
resolver (ue) to resolve, determine; to solve (a problem)
respaldar to back, indorse, guarantee
respecto a, de with regard to, concerning, regarding
respetar to respect
respeto respect
respirar to breathe
responder to answer, respond; — de to answer for, be responsible for, guarantee
responsable responsible
responsabilidad responsibility
respuesta answer, reply
restorán m. restaurant; **poner un —** to open a restaurant
resucitar to resurrect, revive
resuelto (p. p. of **resolver**) solved; determined
resultado result, outcome
resultar to result, turn out
resumen m. summary, résumé; **en —** summing up, in short
resurrección resurrection
retardar to retard, delay, detain
retirada retreat, withdrawal
retirar(se) to withdraw, retreat, retire
retiro withdrawal, retreat; retirement; privacy
retorcer(ue) to twist
retrasar to delay, put off; —se to be late
retrato picture; portrait
retroceder to go back, retreat, move backward
reunir(se) to reunite, join, gather together

revelación revelation
revelar to reveal, show
revestido de invested with
revisar to revise, review, re-examine
revolución revolution
revolucionar to revolutionize
revolucionario revolutionary
rico rich
ridículo ridicule; ridiculous; **poner en —** to ridicule, make ridiculous
rincón m. corner
risa laugh, laughter; **dar —** to make one laugh
risita feigned laugh; giggle, titter
rítmico rhythmic, rhythmical
ritmo rhythm
robar to rob, steal, plunder
robusto robust, vigorous
rodear (de) to surround, encircle, encompass (by, with)
rogar (ue) to ask, implore
rojo red
rollo roll
romano Roman
romántico romantic
romper to break; to tear; to start
ropa clothes, clothing
rostro face
roto (p. p. of **romper**) broken; torn
rotonda rotunda
rubio blonde
rubista (m. and f.) follower of General Rubio
rueda wheel
ruego plea
ruido noise
ruina ruin; fall, overthrow
rumor rumor, report; sound of voices
Rusia Russia

S

sábana bed-sheet
saber to know; to know how; — de to have news about; **no — bien** not to know exactly
sabio wise, learned; scholar, intellectual
sacar to take out
saco coat, jacket
sacrificar to sacrifice

172

sacrificio sacrifice
sacudir to shake; to dust
saga legend, saga
sal *f.* salt
sala room; living room
salida departure, outlet, way out
salir to leave, go out, come out
salpicar to spatter, sprinkle, splash
Saltillo *capital of the state of Coahuila, about 677 miles north of Mexico City*
salto leap, jump; **andar a — de mata** to flee and hide; to throw off the track
saludar to greet, salute
saludo bow; greeting, salute
salvación salvation
salvar to save; to rescue
San Luis Potosí *capital of the state of San Luis Potosí, about 327 miles north of Mexico City, famous for its silver mines*
sanatorio sanatorium
sancionar to sanction
sangre *f.* blood
sano sound, healthy
santo saintly, holy; saint; saint's day
sañudo furious, enraged
sátira satire
satisfacer to satisfy
satisfacción satisfaction
satisfecho (*p. p. of* **satisfacer**) satisfied
secar(se) to dry (up); to decay, rot; to wither away
seco dry; dull; thin; curt; blunt
sección section
secretaría secretary's office; secretary-ship
secreto secret
secuestro kidnapping, abduction
sed *f.* thirst; **tener —** to be thirsty
seducir to seduce; to charm, captivate
seguida: en — immediately, at once
seguir (i) to continue, keep on; follow; **seguido de** followed by; **— adelante** to continue, go on
según according to; depending on; **— parece** so it seems
segundo second
seguridad certainty; security

seguro sure, certain; **de —** surely, undoubtedly
seis six
semana week
semejante such (a); similar
semejanza similarity, resemblance
senado senate
senador *m.* senator
sencillez simplicity
sencillo simple, plain
sensación sensation
sentar (ie) to seat; to fit; **—se** to sit down
sentenciar to sentence, condemn
sentido sense, meaning
sentimiento sentiment, emotion, feeling
sentir (ie, i) to hear, feel, regret; **—se** to feel
seña sign, mark, indication
señal *f.* sign, mark; **en — de** as a sign of
señalar to indicate, point out, name, mark
señor *m.* gentleman, lord, master, sir, Mr.
señora lady, woman, madam, Mrs.
señorita young lady, Miss
separación separation
separar to separate
septiembre September
ser to be; **a — cierto** should this fact or event be true; **es decir** that is to say; **o sea** or in other words; **— de** to belong to; **puede —** may be; *m.* being
sereno serene, calm
serie *f.* series
serio serious; **en —** seriously
servicio service; **hoja de —s** service record
servilleta napkin
servir (i) to serve; to perform (duties in army or navy); **— de** to serve as; **— de nada** to be useless; **sírvase Ud. ... please ...**
sesenta sixty
setenta seventy
severo severe
si if; why; **por —** in case, by chance
sí yes; itself, himself, each other, one

another; — **mismo** himself; **decir que** — to say so

siempre always; **de** — as usual; **lo de** — the usual; **para** — forever

sierra mountain, ridge of mountains, range

siete seven

siglo century

significación meaning

significado meaning

siguiente following, next

silencio silence

silencioso silent

silueta silhouette; figure (of person)

silla chair; saddle; —**s vienesas** (Viennese chairs *with cane seats and backs and with narrow, rounded, polished frames and legs*)

sillar: fábrica de — building of square-hewn stone

sillón *m.* large chair, armchair

símbolo symbol

simple mere; foolish, silly

simplemente simply, plainly

simulador *m.* pretender

simultáneamente simultaneously

sin without; — **embargo** nevertheless; — **que** (*conj.*) without

sinceridad sincerity

sincero sincere

singular unique, extraordinary, singular

sino but, except

sinónimo synonym

siquiera even, at least; **ni** — not even

sistema *m.* system

sitio place; siege

situación situation

situar to place, locate, situate

sobrar to be left over, be in excess, surpass, not to be needed; **de sobra** well enough, over and above, more than enough

sobre on, over; about, concerning; — **todo** especially, above all; *m.* envelope

sobrenatural supernatural

sobreponer to put over; —**se** to be above; to master, overcome

sobresaltar to frighten, startle

sobresalto startling surprise; sudden dread or fear

sofá *m.* sofa; — **de tule** reed or wicker sofa

sofocar to suffocate, choke; to suppress, stifle

sol *m.* sun

solamente only, solely

solar *m.* courtyard, open patio

soldadera woman soldier; camp follower

soldado soldier

soledad loneliness, solitariness

solemne solemn, serious

soler (ue) to be accustomed to

sólido solid, compact

solo alone, single; **a solas** alone

sólo only, solely

solución solution

solucionar to solve

sollozar to sob

sombra shadow, shade

sombrero hat

someter to submit; to beat down

son *m.* sound; motive; **en** — **de paz** in a peaceful manner

sonámbulo somnambulant

sonar (ue) to sound, be heard, ring

sonido sound

sonreír (i) to smile

sonriente smiling

sonrisa smile

soñador *m.* dreamer

soñar (ue) (con) to dream (of)

sopera soup tureen

soportar to support, endure, bear

sórdido sordid

sorprendente surprising, astounding

sorprender to surprise

sosegadamente quietly, calmly

sospechar to suspect

sostener to support, sustain, help

subir to rise, go up; to take up; —**a** to climb (get) into

súbito sudden, unexpected; **de** — suddenly

subjuntivo (*gram.*) subjunctive mood

sublevación insurrection, revolt

subordinado subordinate

subrayar to underline; to emphasize

suceder to succeed, follow, be the successor (of); to happen, come about

sucesión succession

sucesivo successive, consecutive
suceso event
sucesor *m.* successor
suciedad nastiness, filthiness
sucio dirty, unclean; low, base
sueldo salary
suelo floor; ground, land
suelto loose
sueño sleep, dream; **tener un** —to dream
suerte *f.* luck, fate; **tener** — to be lucky
suficiente sufficient, enough
sufrir to suffer, endure
sugerir (ie, i) to suggest, hint, insinuate
suicidarse to commit suicide
sujeto subject, theme, matter; person, fellow, individual
suma sum, total, amount; **en** — in short; to sum up
sumar to add, sum up; to amount to
suplicante supplicant, entreating
suplicar to entreat, implore, beg, request
suponer to suppose; — **que sí** to suppose so
supresión suppression
suprimir to suppress
supuesto (*p. p. of* **suponer**) supposed; **por** — of course, naturally; — **que** allowing that, granting that
sur *m.* south
surgir to issue, come forth; to arise, appear; to spurt
suspirar to sigh
sustituir to substitute
susto fright, fear, dread
suyo, -a, -os, -as of his, hers, yours, theirs

T

tabla board; slab
tal such (a); — **vez** perhaps
tallado carved
talle *m.* form, figure; waist
también also, too
Tampico *seaport of Mexico on the Gulf of Mexico*
tampoco neither
tan so, as; such (a)

tanto so much, as much; *pl.* so many, as many; **en** — in the meantime; **en** — **que** while; **mientras** — in the meantime; **otro** — as much, as much more; **por lo** — for that reason, therefore; — ... **como** ... both ... **and** ... ; **un** — **a little**
tapa lid, cover
tapar to cover, hide; **sin que nadie te tapara el gallo** with no one to top or surpass you
taquigráfico stenographic
taquígrafo stenographer
tarado rotten
tardar to be late; to take a long time; to delay; — **en** to delay in, take long to
tarde *f.* afternoon; **por la** — in the afternoon; — (*adv.*) late
tarjeta card
teatral theatrical
teatro theatre
techo ceiling
tejano Texan
Tejas Texas
telefonear to telephone
teléfono telephone
telegrama *m.* telegram
telón *m.* curtain (theatre)
tema *m.* theme, subject, topic; **cambiar de** — to change the subject
temblar (ie) to tremble
tembloroso trembling, tremulous, shaking
temer to fear, be afraid
temprano early
tender (ie) to stretch (out), extend, spread (out), lay out, give
tendero shopkeeper
tener to have, hold; to keep; — ... **años** to be ... years old; — **costumbre de** to be accustomed to; — **éxito** to be successful; — **hambre** to be hungry; — **inconveniente** to object; — **pena** to grieve, worry; — **por** to consider; — **que** to have to; — **que ver con** to have to do with; — **razón** to be right; — **sed** to be thirsty; **no** — **rázon** to be wrong; — **vergüenza** to be ashamed; **no tiene caso** there's no point, what's the use of?

¿Qué tienes tú? What's the matter with you? What's wrong? tenga la bondad de . . . please . . .

teniente *m.* lieutenant

tenso tense, taut; stretched

tentativa attempt

teñir (i) to dye, stain

teoría theory

tercer (*used for* tercero *before a m. sing. n.*)

tercero third

terminar to end, finish; —de + *inf.* to have just + *p. p.*

término purpose; term, word; primer — foreground; último — extreme back

ternura tenderness

terreno piece of land, ground, soil; sphere of action

tesis *f.* thesis, dissertation

tesoro treasure

testigo witness

texto text, textbook

tiempo time; weather; (*gram.*) tense; a — on (in) time; mucho — a long time; un — a while; formerly

tienda store; poner una — to open or establish a store

tierra land; earth; country

tigre *m.* tiger

timidez timidity

tímido timid, shy

tío uncle

típico typical

tipichil *m.* a kind of cement of domestic manufacture used, for reasons of economy, in some parts of northern Mexico. It produces a noticeably uneven surface.

tipo type

tirar to pull; to throw; to shoot; — de to pull on; — el dinero to waste (squander) money

tiro shot, discharge (of a firearm); a —s by shooting, with shots

título title

tocar to touch; to play (an instrument); to knock; to ring (a bell); to be one's turn; to move; to find out (as by experience)

todavía still, yet

todo all, everything, whole, everv: — aquel que whoever; sobre — especially; — el mundo everyone

toma capture, seizure; — de posesión taking over office

tomar to take; to drink, eat; —se en cuenta to take into account; — por to consider

tono tone

tontería foolishness, nonsense

tonto fool; foolish, silly, stupid

toque *m.* touch

toquido knock, rap (door)

torcer (ue) to twist; to distort, misconstrue

tormenta torment; storm

torno: en — a (de) around; regarding, about

tortura torture; grief, affliction

torturar to torture, torment

toscamente rudely, roughly, coarsely

total total, whole; complete

trabajar to work

trabajo work; — de búsqueda research

tradición tradition

tradicional traditional

traducción translation

traer to bring, bear, carry

tragedia tragedy

trágico tragic

traición treason

traicionar to betray

traidor *m.* traitor

traje *m.* suit, dress; — de casa housecoat or dress; — de verano summer suit

tranquilidad calm

tranquilizar(se) to calm down

tranquilo calm, serene, quiet

transfiguración transfiguration

transformar to transform, change

transición transition, change

trapo piece of cloth, rag

tras (de) behind, after; beyond; besides

trastornado upset, disturbed

tratar to treat, deal (with), try; to manage, handle; — de to try to; —se de to be a question or matter of

trato treatment, handling; pact, agreement; — **hecho** agreed, it's a deal
treinta thirty
tremendo tremendous
tren *m.* train
tres three
tributar to pay, render (homage)
triste sad, unfortunate
tristeza sadness
triunfal triumphal
triunfar to triumph, conquer, achieve
victory (over)
triunfo triumph, victory
tropa troop
truco ¿Cómo no había de despertar tus peores instintos el — del héroe? *The worst feminine instincts are always aroused by manly myths, for example, all women become simple females when they think a man is a hero.*
tule *m.* reed, rush; **sofá de** — wicker sofa
tumba grave, tomb
tumulto tumult, uproar, uprising, mob
turbado disturbed, upset
turno turn

U

u (*used before words beginning with* **o** *or* **ho**) or
último last, final; **por** — finally
umbral *m.* threshold
un (*used for* **uno** *before a m. sing. n.*)
uno, -a a, an; — **por** — one by one; —s some; —s **cuantos** some few, a few
único only; unique
unidad unity
uniforme *m.* uniform
unir(se) (a) to unite, join (to)
unitario supporter of centralization
universidad university
universitario of the university
uña fingernail, claw; **perder los dientes y las** —s to lose his fangs and claws
usar to use
uso use; usage
útil useful

utilidad utility, usefulness
utilísimo very useful
utilizar to utilize, use

V

vaca cow
vacilación hesitation
vacilante hesitating; unstable
vacilar to hesitate, delay
vacío empty, void; empty space
vago vague, indistinct
valer to be worth, cost; **más vale** (**vale más**) ... it is better . . . ; — **la pena** to be worth the effort
valiente brave
valioso valuable; highly esteemed
valor *m.* bravery, courage; value
vampiro vampire; ghoul
vanidad vanity; nonsense
vano vain; **en** — in vain, uselessly
varios various, several
vaso glass
¡vaya! well!
vecino neighbor
vehemente vehement, forceful, strong
veinte twenty
velar to watch (over), to keep vigil; to be awake
velocidad velocity, speed
vencer to conquer, win, overcome
vender to sell
venerado venerated, revered, worshipped
venganza revenge
vengar to avenge
venir to come; to result; to fit; to occur (to one's mind)
ventana window
ver to see, look at; **a** — we shall see, time will tell; **echar de** — to notice; **tener que** — **con** to have anything to do with
Veracruz *Mexican seaport on the Gulf of Mexico, about 281 miles from Mexico City*
verano summer
veras reality, truth; **de** — really
verbo verb
verdad truth; **es** — it is true; ¿—? isn't it? doesn't it? isn't it so?

verdadero true, real; truthful
vergüenza shame; **tener —** to be ashamed
verosímil probable, likely
verso verse; line (of poetry); stanza; *pl.* poem, lines
vertiginoso giddy
vestido dress, gown
vestir(se) (i) to dress, wear
vez time; **alguna —** ever; **a la —** at the same time; **a mi (su) —** on my (his) part; **a veces** occasionally, at times; **cada —más** more and more; **de una —** at once; **de — en cuando** from time to time; **en — de** instead of; **hacer las veces** to serve as, to substitute for; **otra —** again; **rara — seldom; tal —** perhaps; **una —** once
viaje *m.* trip, voyage; **hacer un —** to take a trip
víctima victim
victoria victory, triumph
vida life; living, livelihood
vidrio glass
viejo old; old man
vienés Viennese, of Vienna (Austria)
vientre *m.* abdomen; womb
viga beam, rafter
vigilancia vigilance, watchfulness
vigilante vigilant
vigilar to watch (over); to look out (for)
vigor *m.* vigor, force
vigoroso vigorous
vil mean, vile, despicable
violencia violence
violento violent, impulsive, furious
virgen (*m. and f.*) virgin
virtud virtue
visiblemente visibly
visita visit; visitor, guest
visitantes *m.* visitors
visitar to visit
vista view, sight; glance, look; **a primera —** at first sight; **hasta la —** until we meet again; **punto de —** point of view

viuda widow
viudo widower
vivamente lively, vividly, quickly
vivir to live; ¡**viva** ... ! long live . . . ! **viva** *m.* huzza, cheer
vivo alive; lively; quickly; clean, pure
vocabulario vocabulary
vocerío clamor, outcry, shouting
volar (ue) to fly
voluntad will, volition
volver (ue) to return, turn; **— a hacer** to do again; **— la espalda** to turn one's back; **—se** to become, turn; to turn around; **—se loco** to become (go) insane
voto vote; ballot; vow
voz *f.* voice; shout; **a media —** in a whisper; **dar voces** to cry, scream, shout; **en — alta** out loud, aloud; **en — baja** in an undertone; **en (con) — blanca** in a blank (dazed) voice
vuelta return, turn; **dar media —** to turn halfway around; **dar —s** to turn over and over; **de —** back, returned
vuelto (*p. p. of* **volver**) returned, turned

Y

y and
ya already, now, then, soon; **— lo creo** yes indeed; **— no** no longer; **— que** since; **y —** this is my business and that's that
yendo (*pres. p. of* **ir**) going
yergue (*pres. ind. of* **erguirse**) to stand erect, straighten up; to swell with pride

Z

zapato shoe
zozobra anguish, worry, anxiety